VALTER MAURÍCIO GOEDERT

DEUS CUIDA DE VOCÊ

DIREÇÃO EDITORIAL:
Pe. Fábio Evaristo Resende Silva, C.Ss.R.

REVISÃO:
Manuela Ruybal

COORDENAÇÃO EDITORIAL:
Ana Lúcia de Castro Leite

DIAGRAMAÇÃO E CAPA:
Bruno Olivoto

COPIDESQUE:
Luana Galvão

Dados Internacionais de Catalogação na Publicação (CIP)
(Câmara Brasileira do Livro, SP, Brasil)

Goedert, Valter Maurício
   Deus cuida de você / Valter Maurício Goedert. – Aparecida, SP: Editora Santuário, 2016.

   ISBN 978-85-369-0413-9

   1. Deus 2. Fé 3. Orações 4. Reflexão I. Título.

15-10977   CDD-242.2

Índices para catálogo sistemático:
1. Orações: Reflexões: Cristianismo 242.2

2ª impressão

Todos os direitos reservados à **EDITORA SANTUÁRIO** – 2016

 Composição, CTcP, impressão e acabamento:
EDITORA SANTUÁRIO - Rua Padre Claro Monteiro, 342
12570-000 - Aparecida-SP - Fone: (12) 3104-2000

Apresentação

Meditação. Momento de fechar, por um pouco, a porta e, se preciso, as janelas do próprio quarto, e orar ao Pai, que vê no escondido (cf. Mt 6,6). Entrar no quarto secreto do próprio coração, desligar as antenas carregadas de ruídos e imagens, fechar a porta das ocupações e preocupações, e ensaiar, sempre de novo, por um momento ao menos, o exercício tão difícil do silêncio.

Ensaiar o silêncio não vazio, não estéril, mas denso e fecundo da Palavra. Concentrar-se na Palavra, degustar a Palavra, contemplar a verdade da Palavra, orar ao Pai na inspiração da Palavra e do silêncio.

Não importa o Tempo, o Kairós litúrgico: presépio e cruz, estradas poeirentas da Palestina no peregrinar cotidiano do Mestre, encontros de intimidade com amigos e de misericórdia com sofredores e pecadores – há sempre uma Palavra que convida à meditação e desemboca numa prece.

Assim, Pe. Valter Goedert partilha conosco preciosos momentos de sua própria oração, de sua meditação orante, de sua busca incessante do encontro com o Pai no silêncio de seu quarto. É um gesto fraterno de partilha, é um convite amigo para associar irmãos e irmãs de caminhada a seu caminho de amor e fé.

Ir. Clea Fuck

1

TOCAR EM JESUS

"Vieram para ouvir Jesus e serem curados de suas doenças. E aqueles que estavam atormentados por espíritos maus também foram curados. A multidão toda procurava tocar em Jesus, porque uma força saía dele e curava a todos." (Lc 6,18-19)

O simbolismo do *toque* abrange os mais variados sentidos. Sentimo-nos tocados no coração, na consciência, na vivência espiritual, quando ouvimos uma exortação espiritual, escutamos uma canção, defrontamo-nos com uma situação de calamidade, quando nos encontramos com o sofrimento e a dor de uma pessoa. O *toque* pode ser um sinal de carinho, de amizade, de proximidade. Existem *toques* que provocam revolta, que significam falta de respeito, que são indesejáveis. Há *toques* de elegância, de bom gosto, que traduzem atitudes de boa educação, que nos despertam para uma convivência mais harmônica.

O simbolismo do *toque* está igualmente presente em muitos ritos religiosos como sinal de bênção, de cura, de consagração. Os cumprimentos, os abraços, os beijos, além de serem sinais de boa convivência, exprimem também fraternidade espiritual, proximidade na mesma fé, desejo de paz, harmonia interior, amor. O ser humano, em sua religiosidade, faz questão de expressar esse sentimento. Dessa forma, gestos, que poderiam ser meramente casuais, tornam-se portadores de afeto e de comunhão na mesma fé.

A Sagrada Escritura cita com frequência o simbolismo religioso do *toque*. Os valentes homens do rei Saul foram tocados pelo Senhor para defender o povo de Deus (1Sm 10,26). O salmista lembra que ninguém deve tocar nos consagrados do Senhor (Sl 104,15). Isaías coloca-se à disposição do Senhor para ser enviado; para purificar seus lábios, o anjo tocou-os com uma tenaz e sua iniquidade foi removida, seus pecados, perdoados (Is 6,7). O Senhor tocou a boca de Jeremias e colocou suas palavras em seus lábios, a fim de constitui-lo profeta das nações (Jr 1,9-10).

"Trata-se de um toque divino. Deus toca a humanidade em Jesus Cristo. Primeiramente, no mistério da Encarnação, Deus Filho assume a natureza humana. Depois, Ele toca as águas do rio Jordão. Vários Padres da Igreja consideram que, tocando as águas, Jesus, o Filho de Deus, santificou todas as águas. Eles compreendem que, pelo mistério da Encarnação, Jesus veio santificar e, de certa maneira, divinizar toda a realidade criada. Deixando-se tocar pelas águas, Jesus deixou lavar em si todos os pecados do mundo. Ele assume a humanidade pecadora. Na Sexta-feira Santa, Jesus toca a natureza humana mortal, destruindo a morte e tornando a natureza humana imortal por sua ressurreição[1]."

Os evangelhos narram com frequência curas realizadas por Jesus mediante o *toque* de suas mãos. O chefe da sinagoga, prostrando-se diante de Jesus, suplica: "*Senhor, a minha filha acaba de morrer, impõe-lhe as mãos e ela viverá [...]*. Tendo saído a multidão, Ele entrou, tomou a menina pela mão e ela levantou-se" (Mt 9,18.24). A mulher, atormentada por um fluxo de sangue, enche-se de confiança: "'*Se eu somente tocar em sua vestimenta, serei curada*'. Jesus, voltando-se para ela, disse: '*Tem confiança, minha filha, tua fé te salvou*'" (Mt 9,21-22). Aos cegos que seguiam Jesus implorando a cura, Jesus pergunta: "*Credes que eu possa fazer isso? Sim, Senhor,* responderam eles. Então, Ele tocou-lhes os olhos, dizendo: *Seja feito segundo vossa fé*" (Mt 9,27-30). Muitos doentes pediram a Jesus que o deixassem tocar; e, todos os que nele tocaram, foram curados (Mt 14,35-36). Diante do pedido

---

[1] Cf. Frei Alberto Beckhäuser. *Questões de liturgia*, 36.

dos cegos de Jericó, Jesus, cheio de compaixão, tocou-lhes os olhos e curou-os (Mt 20,34). Ao leproso estende a mão e diz: *"Eu quero, fica curado"* (Mc 1,41). Traziam crianças, e Ele as tocava e as abençoava (Mc 10,13). Ao perceber a dor da viúva de Naím, Jesus a consola: *"Não chores.* E aproximando-se, tocou no esquife, e os que o levavam pararam. Disse-lhe Jesus: *Moço, eu te ordeno, levanta-te.* Sentou-se, o que estivera morto, e começou a falar, e Jesus entregou-o a sua mãe" (Lc 7,13-15). O apóstolo João exprime seu contato íntimo com Jesus, quando escreve: "O que era desde o princípio, o que temos ouvido, o que temos visto com nossos olhos, o que temos contemplado e nossas mãos têm apalpado, no tocante ao Verbo da vida" (1Jo 1,1).

"Também na vida da Igreja, Deus quer tocar a humanidade por meio dos sacramentos da salvação, por meio de sinais sensíveis e significativos dos toques salvadores de Jesus Cristo. Valeria a pena analisar os sacramentos nessa perspectiva da linguagem do toque. No batismo, vê-se isso de maneira muito forte. O primeiro toque de bênção e salvação é a marca do sinal da cruz na fronte. Em seguida, a unção do peito da criança com o óleo dos catecúmenos. A própria Palavra de Deus constitui um modo de Deus tocar as pessoas. No rito sacramental, temos o grande toque do mergulho na água. Finalmente, temos os ritos que desdobram este rito essencial do toque divino pelas águas do batismo: a unção com o óleo do Crisma no alto da cabeça; a vela acesa nas mãos dos pais; a veste batismal, com a qual a criança é revestida, e o *éfeta,* tocando os ouvidos e a boca para abri-los à escuta da Palavra de Deus e à profissão de fé para a glória de Deus Pai[2]."

Embora Jesus glorificado permaneça invisível a nossos olhos, nós podemos tocá-lo, quando acolhemos os necessitados: "Vinde, benditos de meu Pai, recebei por herança o reino preparado para vós desde a fundação do mundo. Pois tive fome e me destes de comer. Tive sede e me destes de beber. Era forasteiro e me acolhestes. Estive nu e me vestistes, doente e me visitastes, preso e viestes ver-me [...] Em verdade, eu vos digo: cada vez que fizestes isso a um desses meus irmãos mais pequeninos, a mim o fizestes" (Mt 25,34-40). Acolher aquele que não dispõe do mínimo necessário para viver com dignidade, enfim, abrir-se ao irmão, é tocar o Senhor. O mundo não precisa apenas de grandes pensadores e cientistas; as pessoas carecem de *bons samaritanos* que se debrucem sobre o sofrimento de todos os que são assaltados pela indiferença dos que não sabem ou não querem amar.

---

[2] Frei Alberto Beckhäuser. *Questões de liturgia,* 36.

Oração

Basta que me toques, Senhor!

1. Basta que me toques, Senhor! Minh'alma fortalecerás. Se a noite escura está, tua presença me guiará. Basta que me toques, Senhor.
2. Basta que me olhes, Senhor! Minh'alma fortalecerás. Se a noite escura está, tua presença me guiará. Basta que me olhes, Senhor.
3. Basta que me sorrias, Senhor! Minh'alma fortalecerás. Se a noite escura está, tua presença me guiará. Basta que me sorrias, Senhor.
4. Basta que me ames, Senhor! Minh'alma fortalecerás. Se a noite escura está, tua presença me guiará. Basta que me ames, Senhor.
5. Basta que eu te busque, Senhor! Minh'alma fortalecerás. Se a noite escura está, tua presença me guiará. Basta que eu te busque, Senhor.
6. Basta que eu te encontre, Senhor! Minh'alma fortalecerás. Se a noite escura está, tua presença me guiará. Basta que eu te encontre, Senhor.
7. Basta que eu te fale, Senhor! Minh'alma fortalecerás. Se a noite escura está, tua presença me guiará. Basta que eu te fale, Senhor.

2

NATAL: A FESTA DA LUZ

"O povo que andava na escuridão viu uma grande luz; para aqueles que habitavam nas sombras da morte, uma luz resplandeceu." (Is 9,1)

Ninguém de nós deseja as trevas. Sem luz não há vida, não há esperança, não tem sentido. As trevas não levam a lugar nenhum que não seja à desgraça. Infelizmente pode acontecer que demos mais valor às trevas que à luz, que tenhamos o prazer mórbido de curtir a escuridão. Fomos feitos para a luz. Fomos gerados na luz de Deus. Não nascemos para viver no caos.

Nosso Deus é luz. A luz resplandece nas trevas, e as trevas não a compreenderam. A Palavra de Deus, Jesus Cristo, é a luz verdadeira que, vindo ao mundo, ilumina todo homem. Estava no mundo, e o mundo foi feito por ele, e o mundo não o reconheceu. Veio para o que era seu, mas os seus não o receberam (Jo 1,5-11). Nascemos não para viver nas trevas: somos filhos da luz. O Cristo Luz não deve jamais se pôr no horizonte de nossa vida. Quando Deus for nossa luz, não teremos mais necessidade de buscar luzes que não iluminam, lâmpadas que se apagam ao menor sopro das paixões. Cristo Luz não conhece ocaso, não se põe jamais. Em Cristo, o dia será eterno. A estrela que guiou os Magos até Belém e pairou sobre o lugar onde estava o Menino realizou sua missão: guiar a humanidade até a verdadeira luz.

Aquele que afirmou: "Eu sou a luz do mundo" (Jo 8,12), disse também: "Vós sois a luz do mundo" (Mt 5,14). Iluminados por Cristo Luz, iluminamos o caminho de nossa vida, lançamos luz na vida dos irmãos. Natal é a festa da Luz! Brilha hoje uma luz entre nós, dentro de nós, pois nasceu para nós o Salvador!

O Natal celebra os inícios de nossa redenção, não constitui uma simples recordação de um aniversário, o de Jesus, mas sim a celebração de Deus, que assume a natureza humana para reconduzir a humanidade a sua vocação original. É, pois, uma celebração sacramental no *hoje* da liturgia. Não o celebramos, também, como um mero acontecimento do passado, mas como um mistério que a cada ano é absolutamente novo, *o dia de nossa redenção*. A antífona de entrada da noite da Vigília do Natal convida a comunidade eclesial a viver a alegria, pois *nasceu o Salvador do mundo, desceu do céu a verdadeira paz. A noite na qual o céu e a terra trocam seus dons.*

O Natal celebra a manifestação da glória de Deus em Cristo: "O Verbo se fez carne, e vimos sua glória" (Jo 1,14). Essa glória manifesta-se, portanto, na história da salvação e, sobretudo, em Cristo e em sua obra redentora: "O Verbo se fez carne e habitou entre nós, e vimos sua glória, a glória que o Filho único recebe de seu Pai, cheio de graça e de verdade" (Jo 1,14).

O Natal celebra também os esponsais do Filho de Deus com a humanidade. O tema de Cristo, esposo da humanidade e da Igreja, está presente em toda a liturgia do Advento. João Batista deixa-o claro: "Eu não sou o Cristo, mas fui enviado diante dele. Aquele que tem a esposa é o esposo. O amigo do esposo, porém, que está presente e o ouve, regozija-se, sobremodo, com a voz do esposo" (Jo 3,29).

O Natal é ainda a festa de nossa divinização. *A divinização* deve ser entendida aqui como participação nas qualidades e nos direitos da natureza divina. "Cristo, por seu divino poder, deu-nos todas as coisas necessárias para a vida e para a piedade, mediante o conhecimento daquele que, por sua própria glória e virtude, chamou-nos. Por tudo isso nos foram dadas todas as preciosas promessas, as maiores que há, 'a fim de que nos tornássemos participantes da natureza divina, depois

2. Natal: A festa da luz

de libertos da corrupção da concupiscência do mundo'" (2Pd 1,3-4). A oração do dia da solenidade do Natal retoma o tema da divinização: "Ó Deus, que admiravelmente criastes o ser humano e mais admiravelmente restabelecestes sua dignidade, dai-nos participar da divindade do vosso Filho, que se dignou assumir nossa humanidade".

O Natal é a festa da *nova criação*. Na celebração anual do mistério da salvação, cujo cume e plenitude se encontram na Páscoa, a celebração do Natal coloca em evidência o aspecto de um novo nascimento que a redenção comporta. Como por meio do Verbo tinha sido esboçada a *primeira criação*, por obra do mesmo Verbo aconteceu *a nova criação*: o ser humano chega à condição de filho de Deus e pode realizar em plenitude sua missão.

O Natal faz memória da maternidade virginal de *Maria, a Filha de Sião*. Filha de Sião é, no Antigo Testamento, uma personalização do povo de Deus ou, acima de tudo, *do resto de Israel* portador da esperança messiânica. Em Maria, a Virgem Filha eleita da estirpe de Israel, Deus deu cumprimento às promessas feitas aos pais. Em Maria, Filha de Sião, realiza-se a promessa do novo nascimento de um novo povo, do qual Cristo é a Cabeça e os cristãos são os membros.

Natal é *a festa da fraqueza*. O nascimento de Jesus desorienta a todos por se revelar preferentemente aos simples, aos pobres, aos pastores. Fez-se fraco para soerguer os desprotegidos. Jesus veio destruir a sabedoria dos sábios e anular a prudência dos prudentes (Is 29,14). Por isso, nenhuma criatura se gloriará perante Deus. É por sua graça que está em Jesus Cristo, que se tornou para nós sabedoria, justiça e santificação. Quem se gloria, portanto, glorie-se no Senhor (1Cor 1,29-31).

Natal é também a celebração da *alegria*. Os anjos anunciam aos pastores uma *grande alegria, que será para todo o povo: Hoje, na cidade de Davi, nasceu para vós um Salvador* (Lc 2,10-11). Alegria, porque Deus não se lembra mais de nosso pecado. Ele se torna o Emanuel, e, se Ele está conosco, não há espaço senão para a alegria. Alegria que nasce da certeza de que o Amor sempre nos amou. *Que sua misericórdia se estenda de geração em geração sobre os que o temem* (Lc 1,50); *que busque a ovelha perdida* (Jo 10,11).

A alegria nasce em um coração que sabe agradecer. Maria exulta de alegria, porque o Senhor fez maravilhas nela e em toda a humanidade (Lc 1,46-48). A alegria floresce lá onde existe amor. A alegria interior nada tem de espalhafatosa, de barulhenta, de pomposa; ela nasce de um coração contrito e humilhado, mas sensível à gratidão.

Natal é convite à solidariedade. Cristo se faz solidário com a humanidade. "Olhai pelos pobres e confortai-os com bondade, vós que, nascendo na terra, anunciais a todos a alegria da eternidade prometida" (Preces das primeiras vésperas do Natal). Cristo torna-se solidário conosco nas alegrias e esperanças, nas tristezas e angústias e, por sua ressurreição, faz-nos participantes de sua vitória sobre o pecado e a morte.

Oração

Eterno esplendor da beleza divina,
Ó Cristo, vós sois luz, vida e perdão.
A nossas doenças, trazei o remédio,
Abris uma porta para a salvação.

O coro dos anjos ressoa na terra,
E um mundo novo seu canto anuncia:
A glória de Deus Pai nas alturas celestes
E ao gênero humano a paz e alegria.

Embora pequeno deitado em presépio,
Em todo o universo, Ó Cristo, reinais.
O fruto bendito da Virgem sem mancha,
Que todos vos amem num reino de paz.

Nasceis para dar-nos o céu como Pátria,
Vivendo na carne da humanidade.
Renovem-se as mentes e os corações e
Se unam por laços de tal caridade.

Às vozes dos anjos, as nossas unimos,
Num coro exultante de glória e louvor,
Cantando aleluias ao Pai e ao Filho,
Cantando louvores e graça ao Amor.

3

QUEM É JESUS

"Jesus foi à região de Cesareia de Filipe e aí perguntou a seus discípulos: Quem dizem os homens ser o Filho de Deus?" (Mt 16,13)

No horizonte da vida de Jesus já se aproximava o momento de sua paixão e morte. Seu relacionamento com as lideranças judaicas tinha-se desgastado por causa dos constantes confrontos. Os discípulos percebiam em si mesmos a repercussão desses embates; afinal, também eles sentiam-se abalados na fé, e, em seu íntimo, a descoberta da verdadeira identidade de Jesus era fundamental, atingindo diretamente sua vida, sua vocação, sua história.

Quem era esse Mestre pelo qual tudo tinham abandonado (Mt 19,27)? Para o povo era um enviado por Deus: "Uns dizem que é João Batista; outros, que é Elias; outros, ainda, que é Jeremias ou um dos profetas" (Mt 16,14). A interrogação de Jesus, no entanto, exigia uma

13

resposta inteiramente pessoal e comprometida: "E vós, quem dizeis que eu sou" (Mt 16,15)? É relativamente fácil responder o que os outros pensam sobre Jesus. O que os outros dizem não compromete nossa vivência cristã.

"Seguir Cristo é o fundamento essencial e original da fé e da moral cristã... Não se trata apenas de dispor-se a ouvir um ensinamento e de acolher na obediência um mandamento. Trata-se, mais radicalmente, de aderir à própria pessoa de Cristo, de compartilhar sua própria vida e seu destino, de participar de sua obediência livre e amorosa à vontade do Pai[1]."

Quem é Jesus para nós, que nos identificamos como *cristãos,* isto é, discípulos de Cristo? "Cremos que este homem, Jesus, é nosso Deus. Cremos que nele a morte foi vencida! Cremos que Jesus é um homem que passou pela morte, mas cuja humanidade foi em seguida transfigurada, iluminada, eternizada, o que lhe confere um modo de existência impossível de se imaginar, mas que fundamenta não só nossa fé, nossa esperança, mas também a Igreja, o Reino de Deus e a eterna cidade do mundo por vir[2]."

O seguimento de Jesus não significa, apenas, a aceitação das verdades da vivência cristã. Estas fazem parte de nossa caminhada na fé; é preciso conhecer aquele que é *o Caminho, a Verdade e a Vida* (Jo 14,6). Insiste São João Paulo II: "Urge recuperar e repropor o verdadeiro rosto da fé cristã, que não é simplesmente um conjunto de proposições a serem acolhidas e ratificadas com a mente. Trata-se, antes, de um conhecimento existencial de Cristo, uma memória viva de seus mandamentos, uma verdade a ser vivida. Aliás, a palavra só é verdadeiramente acolhida quando se traduz em atos, quando posta em prática. A fé é uma decisão que compromete toda a existência"[3].

Em outros termos, não existe outro caminho que nos conduz a Deus; fora de Cristo não há verdades que nos possam conduzir à vida com Deus; sem Ele não há vida, não existe um amanhã feliz. "A única orientação do espírito, a única orientação da inteligência, da vontade e do coração para nós é esta: na direção de Cristo, Redentor do homem, na direção de Cristo, Redentor do mundo. Para Ele queremos olhar, porque só nele, Filho de Deus, está a salvação[4]."

Ensina o Catecismo da Igreja Católica: "O Verbo se fez carne para ser nosso modelo de santidade. *Tomai sobre vós o meu jugo e aprendei de mim* (Mt 11,29). *Eu sou o Caminho, a Verdade e a Vida; ninguém vem ao*

---
[1] João Paulo II. *O Esplendor da Verdade,* n. 29.
[2] Cf. René Voillaume. *Cristo, Palavra de vida eterna.* São Paulo: Paulinas, 1979, p. 28.
[3] João Paulo II. *O Esplendor da Verdade,* n. 88.
[4] João Paulo II. *O Redentor do Homem,* n. 7.

Pai a não ser por mim (Jo 14,6). E o Pai, no monte da transfiguração, ordena: *Ouvi-o* (Mc 9,7). Pois Ele é o modelo das bem-aventuranças e a norma da nova Lei: *Amai-vos uns aos outros como eu vos amei* (Jo 15,12). Este amor implica a oferta efetiva de si mesmo em seu seguimento" (n. 459).

"Tu és o Cristo, o Filho de Deus vivo" (Mt 16,16). A profissão de fé em Jesus Cristo como Filho de Deus não é mérito de uma investigação intelectual, mas um dom do Espírito: "Feliz és tu, Simão, filho de Jonas, porque não foi a carne nem o sangue que te revelaram isto, mas meu Pai que está nos céus" (Mt 16,17).

Cristo, o primogênito de toda a criatura – Cl 1,12-20

Demos graças a Deus Pai onipotente,
que nos chama a partilhar, em sua luz,
da herança a seus santos reservada!
R.: Glória a vós, primogênito dentre os mortos!

Do império das trevas arrancou-nos
e transportou-nos para o reino de seu Filho,
para o reino de seu Filho bem-amado,
no qual nós encontramos redenção,
dos pecados remissão pelo seu sangue.
R.: Glória a vós, primogênito dentre os mortos!

Do Deus, o Invisível, é a imagem,
o Primogênito de toda criatura;
porque nele é que tudo foi criado,
o que há nos céus e o que existe sobre a terra,
o visível e também o invisível.
R.: Glória a vós, primogênito dentre os mortos!

Sejam Tronos e Poderes que há nos céus,
sejam eles Principados, Potestades:

por Ele e para Ele foram feitos.
Antes de toda criatura Ele existe,
e é por Ele que subsiste o universo.
R.: Glória a vós, primogênito dentre os mortos!

Ele é a Cabeça da Igreja, que é seu Corpo,
é o princípio, o Primogênito entre os mortos,
a fim de ter em tudo a primazia.
Pois foi do agrado de Deus Pai que a plenitude
habitasse em seu Cristo inteiramente.
R.: Glória a vós, primogênito dentre os mortos!

Aprouve-lhe também, por meio dele,
reconciliar consigo mesmo as criaturas,
pacificando pelo sangue de sua cruz
tudo aquilo que por Ele foi criado,
o que há nos céus e o que existe sobre a terra.
R.: Glória a vós, primogênito dentre os mortos!

4

MINHA MÃE E MEUS IRMÃOS

"Estando ainda a falar às multidões, sua mãe e seus irmãos estavam fora, procurando falar-lhe. Eis que tua mãe e teus irmãos estão fora e procuram falar-te. Jesus respondeu àquele que o avisou: Quem é minha mãe e quem são meus irmãos? E, apontando para os discípulos com a mão, disse: Aqui estão minha mãe e meus irmãos, porque aquele que fizer a vontade de meu Pai que está nos céus, esse é meu irmão, irmã e mãe." (Mt 12,46-50)

Por obra do Espírito Santo, desde o nosso batismo, fomos incorporados à Igreja e fizemos parte da família de Jesus. O Pai de Jesus tornou-se nosso Pai. Somos para sempre seus irmãos, pelo novo nascimento da água e do Espírito (Jo 3,5). No entanto, seremos seus irmãos verdadeiros quando fizermos a vontade de seu e nosso Pai (Jo 20,17). Não há motivo para temer. O Pai que cuida das aves do céu e dos lírios do campo nos dará o necessário para vivermos com dignidade a adoção de filhos de Deus (Mt 6,25-

34). Ele nos deu seu Reino (Lc 12,32). Jesus é o Reino que devemos buscar em primeiro lugar (Lc 12,11).

O Senhor Jesus deu-nos o exemplo: "Desci do céu não para fazer a minha vontade, mas a vontade daquele que me enviou" (Jo 6,38). A realização da vontade do Pai marcou toda a sua vida e suas atitudes. "Pai, se queres, afasta de mim este cálice! Contudo, não se faça a minha vontade, mas a tua seja feita" (Lc 22,42). A Carta aos Hebreus retoma esse propósito de Jesus, ao entrar no mundo: "Eis que eu venho para fazer a tua vontade" (Hb 10,9). Pôr em prática a vontade do Pai é certeza de salvação (Mt 7,21), é motivo de santificação (1Ts 4,3).

O apóstolo João pressentiu o alcance da vivência diária da filiação divina: "Amados, desde já somos filhos de Deus, mas o que nós seremos ainda não se manifestou. Sabemos que por ocasião desta manifestação seremos semelhantes a Ele, porque o veremos tal como Ele é" (1Jo 3,2). A vontade livre constitui uma prerrogativa essencial do ser humano. É o que nos foi dado de mais sagrado por Deus. Mediante a vontade, a pessoa possui a si mesma e é capaz de orientar a própria vida. Ao oferecer a Deus, por meio de um gesto de total confiança e amor, sua vontade, a pessoa abre mão de seu maior tesouro, para se entregar inteiramente nos braços do Pai. Esse *obséquio da fé* é o caminho mais breve e seguro para chegar a Deus.

Tereza D'Ávila afirma: "Não está a suma perfeição nas doçuras interiores, nos grandes arroubamentos, nas visões, no espírito de profecia, mas na perfeita conformidade de nossa vontade com a vontade de Deus, de tal modo que nos leva a querer firmemente ser sua vontade, aceitando, com a mesma alegria, tanto o saboroso como o amargo"[1].

Fazer a vontade de Deus é fonte de constante alegria. Não trabalham em vão aqueles que obedecem à voz do Espírito de Deus. Sua vivência cristã estará firmemente construída sobre a rocha (Mt 7,24-25). A palavra de Deus, que expressa sua vontade, é lâmpada para nossos pés, é luz para nosso caminho (Sl 119,105). Devemos evitar a tentação de buscar a santidade a nosso modo, seguindo nossos impulsos e nossos desejos. O único caminho para a santidade é aquele que Deus nos traçou em sua providência. São João da Cruz afirma que precisamos transformar nossa vontade na de Deus.

A vontade de Deus a nosso respeito não se manifesta apenas em determinados momentos, em circunstâncias especiais. Em todas as circunstâncias e nos mais diferentes momentos de nossa vida, Deus faz-nos conhecer sua vontade. "Quem deveras ama o Senhor apenas

---

[1] Gabriel de Santa Maria Madalena. *Casa construída na rocha*. São Paulo: Loyola, 1990, p. 32.

4. Minha mãe e meus irmãos

percebe ser de sua vontade qualquer coisa, cumpre-a sem hesitar, embora possa custar-lhe muito[2]." Disse Jesus: "Se alguém me ama, guarda a minha palavra, e meu Pai o amará, e viremos a ele e nele faremos morada" (Jo 14,23). A conformidade com a vontade de Deus e o crescimento no amor constituem os dois elementos constitutivos da santidade da vida de união com Deus, elementos que vão juntos, porque um condiciona o outro.

José Antônio Pagola observa: "O decisivo não é nossa vontade. Nosso conhecimento da existência e nossos projetos são limitados, às vezes até equivocados. O importante é a vontade de Deus, vontade de salvação. A fé em Deus Pai desperta em nós uma entrega humilde a um desígnio mais transcendente que envolve cada um de nós e toda a criação. Isso se reduz a aceitar os caminhos, às vezes misteriosos, de Deus, renunciando à própria vontade e aos desejos. Devemos estar dispostos a assumir acontecimentos e experiências que não entenderemos ou que não coincidirão com nossas expectativas"[3].

Fazer sua vontade abrange até mesmo o amor aos inimigos; somente assim seremos verdadeiramente filhos do Altíssimo, porque Ele é bom para com os ingratos e maus (Lc 6,35). A recompensa está diretamente relacionada com a capacidade de perdoar. O ódio traz um sabor de morte. Por meio da misericórdia nos tornamos semelhantes ao Pai, porque amamos e perdoamos como Ele nos ama e nos perdoa. O perdão faz a graça divina transparecer; a vontade de Deus será inteiramente realizada e seu nome plenamente santificado.

Oração

Sl 62,1-9

Sois vós, ó Senhor, o meu Deus! Desde a aurora, ansioso vos busco!
A minha alma tem sede de vós, minha carne também vos deseja, como terra sedenta e sem água.

---

[2] Gabriel de Santa Maria Madalena. *Viver na vontade de Deus*. São Paulo: Loyola, 1990, p. 36.
[3] Pagola, J. A. *Pai-Nosso – orar com o Espírito de Jesus*. Petrópolis: Vozes, 2002, p. 43.

Venho, assim, contemplar-vos no templo, para ver vossa glória e poder. Vosso amor vale mais do que a vida, e, por isso, meus lábios vos louvam.

Quero, pois, louvar-vos pela vida, e elevar para vós minhas mãos. A minha alma será saciada, como os grandes banquetes de festa.

Cantará a alegria em meus lábios, ao cantar para vós meu louvor. Penso em vós no meu leito, de noite, nas vigílias suspiro por vós!

Para mim fostes sempre um socorro, de vossas asas à sombra eu vos exulto!
Minha alma se agarra em vós, com poder vossa mão me sustenta.

5

O PRIMEIRO AMOR

"Abandonaste o primeiro amor." (Ap 2,3)

O Evangelho convida, sempre de novo, à renovação interior: "Depois que João foi preso, Jesus veio para a Galileia, pregando a Boa-nova de Deus. Completou-se o tempo, e o Reino de Deus está próximo. Convertei-vos e crede na Boa-nova" (Mc 2,14-15).

Para retornar a*o primeiro amor*, é preciso deixar para trás os afetos que nos amarraram e nos impedem de recuperar o verdadeiro sentido da vida. O retorno exige desprendimento, desapego, coragem para continuar o caminho da virtude e da santidade. Voltar ao *primeiro amor* implica redescobrir as raízes de nossa vocação cristã, o compromisso com o Senhor no meio de uma sociedade que já não se apoia nos ensinamentos de Cristo.

A samaritana – conta o Evangelho de João – foi ao poço de Jacó para buscar matar sua sede: Jesus, que lhe pediu água para beber, ofereceu-lhe *água que jorrará até a vida eterna* (Jo 4,14). Dessa água precisamos também nós; água que nasce da fonte sagrada do Coração de Jesus, traspassado pela lança. Jeremias condenou o povo da Antiga Aliança por um duplo pecado: "Abandonou-me a mim, fonte de água viva, para cavar cisternas fendidas, que não retêm água" (Jr 2,13). Somos cântaros de barro: precisamos ir seguidamente ao poço, a fim de que, de nosso interior, brotem rios de água viva (Jo 7,38).

O encontro com o *primeiro amor* exige uma releitura da vida à luz da fé: o que foi bom, o que pode ser ainda melhor, aquilo que fizemos de errado. A fé ilumina as decisões assumidas e nos ajuda a rever conceitos e a reavaliar o caminho percorrido. Sair de si é também subir, para ver do alto, do ponto de vista de Deus, o acerto de nossas escolhas. No alto da montanha, Deus se manifesta, revela-se, envolve-nos em sua luz, aponta-nos o caminho: "Este é o meu Filho muito amado; ouvi-o" (Lc 9,35). Jesus é o Caminho, a Verdade e a Vida; ninguém chega ao Pai senão por Ele (Jo 14,6).

O documento de Aparecida convida os discípulos missionários a lançar um olhar sobre a realidade da sociedade humana marcada por grandes mudanças, de alcance global, para nela sentir a presença do Senhor: "No rosto de Jesus Cristo, morto e ressuscitado, maltratado por nossos pecados e glorificado pelo Pai, nesse rosto doente e glorioso, com o olhar da fé podemos ver o rosto humilhado de tantos homens e mulheres de nossos povos e, ao mesmo tempo, sua vocação à liberdade dos filhos de Deus, à plena realização de sua dignidade pessoal e à fraternidade entre todos. A Igreja está a serviço de todos os seres humanos, filhos e filhas de Deus" (DA, n. 32).

O rosto do *primeiro amor* é o de Jesus Cristo, quer apareça desfigurado, quer glorioso; é também o rosto de todos os seres humanos, irreconhecível em tantos de nossos irmãos e irmãs entregues à desesperança, à miséria, aos sofrimentos, a todos os tipos de exclusão. Lembra Papa Francisco à Comunidade de Varginha (Manguinhos), RJ, no dia 25 de julho de 2013: "Não deixemos entrar em nosso coração a cultura do descartável, porque nós somos irmãos. Ninguém é descartável! Lembremo-nos sempre: somente quando se é capaz de partilhar é que se enriquece de verdade; tudo aquilo que se compartilha se multiplica! Pensemos na multiplicação dos pães de Jesus! A medida da grandeza de uma sociedade é dada pelo modo com que se tratam os mais necessitados, quem não tem outra coisa senão sua pobreza".

O retorno ao *primeiro amor* passa necessariamente pelo rosto dos irmãos: "Todas as vezes que fizestes isso a um destes meus irmãos mais pequeninos foi a mim mesmo que o fizestes" (Mt 25,40).

5. O PRIMEIRO AMOR

Partir

Partir é, antes de tudo, sair de si. Romper a crosta de egoísmo que tende a aprisionar-nos no próprio eu.

Partir não é rodar, permanecendo em torno de si numa atitude de quem, na prática, se constitui centro do mundo e da vida.

Partir não é rodar apenas em volta dos problemas, das instituições a quem se pertence. Por mais importantes que elas sejam, maior é a humanidade a quem nos cabe servir.

Partir, mais que devorar estradas, cruzar mares ou atingir velocidades astronômicas, é abrir-se aos outros, descobri-los, ir ao encontro.

Abrir-se às ideias, inclusive as contrárias às próprias, demonstra fôlego de bom caminheiro. Feliz de quem entende e vive este pensamento: "Se discordas de mim, enriqueces-me".

É possível caminhar sozinho, mas o bom viajante sabe que a grande caminhada é a vida e essa supõe caminheiros, gente que partilha o mesmo pão.

Feliz de quem se sente em perene caminhada e de quem vê no próximo um eventual e desejável companheiro.

O bom caminheiro preocupa-se com o companheiro desencorajado, sem ânimo, sem esperança. Adivinha o instante em que Ele se acha a um palmo do desespero. Apanha-o onde se encontra, deixa que desabafe e, com inteligência, com habilidade e, sobretudo, com amor, leva-o a recobrar ânimo e a voltar a ter gosto na caminhada.

Dom Helder Câmara

6

ÁGUA VIVA

Em suas visões, Ezequiel contemplava a entrada do templo e a água que saía de sua parte subterrânea; a água corria do lado direito do templo, a sul do altar, e desembocava nas águas salgadas do mar, para torná-las saudáveis. Nas águas do rio, vivia uma enorme quantidade de peixes e, às margens direita e esquerda, árvores frondosas. (Ez 47,1-12)

Ao descrever o relato do paraíso, o autor sagrado assevera: "Um rio saía do Éden para regar o jardim e dividia-se, em seguida, em quatro braços" (Gn 2,10). Os nomes dos rios: Fison, Geon, Tigre e Eufrates (Gn 2,11-14). A Palavra de Deus e seu sopro estão na origem do ser e da vida de toda criatura. "Ao Espírito Santo cabe reinar, santificar e animar a criação, pois é Deus consubstancial ao Pai e ao Filho. A Ele cabe o poder sobre a vida, pois, sendo Deus, Ele conserva a criação no Pai pelo Filho[1]."

---
[1] *Catecismo da Igreja Católica*, n. 703.

A liturgia batismal lembra que, ao longo da história da salvação, Deus se serviu da água para manifestar a graça do batismo. Na criação, o Espírito de Deus pairava sobre as águas, para que elas concebessem a força de santificar (Gn 1,2). No dilúvio, as águas sepultaram os vícios e pecados, a fim de que a humanidade renascesse para a santidade (Gn 7,11-12). As águas do Mar Vermelho, afogando os opressores, libertaram o povo de Deus da escravidão, para que constituíssem uma nação santa, um povo régio e uma raça eleita (Êx 14,21-26). No rio Jordão, no momento em que Jesus saiu da água, os céus se abriram, e o Espírito, em forma de pomba, desceu sobre ele, fazendo-se ouvir a voz do Pai: "Tu és o meu Filho muito amado; em ti ponho a minha afeição" (Mc 1,9-11).

Na bênção sobre a água, por ocasião do batismo, a Igreja suplica: "Olhai, agora, ó Pai, a vossa Igreja e fazei brotar para ela a água do batismo. Que o Espírito Santo dê por esta água a graça de Cristo, a fim de que o homem e a mulher, criados a vossa imagem, sejam lavados da antiga culpa pelo batismo e renasçam pela água e pelo Espírito Santo para uma vida nova"[2].

As fontes humanas são importantes, vivificam-nos; no entanto, são limitadas. Precisamos beber da fonte inesgotável que brota do interior de nosso ser, fonte de água viva, e não cavar cisternas fendidas que não retêm a água (Jr 2,13). É preciso viver a partir da fonte do Espírito. Quem vive dessa fonte percebe que sua vida tem outra qualidade, uma energia superior. Quando nossas palavras e ações partirem do Espírito, terão novo vigor e transmitirão algo de especial aos outros. Quando nos abastecemos de uma fonte turva, não desanimemos: procuremos cavar mais fundo; lá encontraremos a fonte do Espírito.

O encontro de Jesus com a samaritana ilumina o mistério da ação do Espírito no coração e na vida de quem acredita em Jesus e se torna seu discípulo. "Se conhecesses o dom de Deus e quem é que te diz: Dá-me de beber, tu é que lhe pedirias, e Ele te daria água viva" (Jo 4,10). Somente o Espírito de Cristo é fonte de água viva. "Quem beber da água que lhe darei nunca mais terá sede, pois a água que eu lhe der tornar-se-á nele fonte de água jorrando para a vida eterna" (Jo 4,14). Jesus lhe promete a vida eterna, vida em plenitude, que brota do lado aberto de seu peito, ferido por uma lança (Jo 19,34). Da fonte inesgotável da paixão, morte e ressurreição de Cristo, o Cordeiro imolado, o Alfa e o Ômega, o Começo e o Fim, o Espírito nos fará beber a vida em plenitude (Ap 21,6).

---

[2] *Ritual do batismo de crianças*, n. 138.

6. ÁGUA VIVA

No último dia da festa dos Tabernáculos, Jesus clamava: "Se alguém tiver sede, venha a mim e beba. Quem crê em mim, como diz a Escritura: Do seu interior brotarão rios de água viva" (Jo 7,38). Ninguém pode professar a fé em Jesus a não ser no Espírito Santo (1Cor 12,3). Deus enviou a nossos corações o Espírito de seu Filho que clama: *Abba, Pai* (Gl 4,6). O conhecimento da fé só é possível no Espírito Santo. Para estar em contato com Cristo, é preciso primeiro ter sido tocado pelo Espírito. É ele quem precede e suscita a fé.

A imagem da fonte faz parte central do evangelho de João. O paralítico é curado na piscina de Bezata (Jo 5,1-9). O *borbulhar da água* pelo anjo do Senhor indica a ação do Espírito. A cura do cego de nascença acontece na piscina de Siloé (Jo 9,1-7). Onde o Espírito Santo de Deus está presente, não há paralisia espiritual; os frutos de sua ação são abundantes: É por este poder do Espírito que os filhos de Deus podem dar fruto. Aquele que nos enxertou na verdadeira vida nos fará produzir os frutos no Espírito, que é amor, alegria, paz, longanimidade, benignidade, bondade, fidelidade, mansidão, autodomínio (Gl 5,22-23). Onde age o Espírito, tudo é luz, as cegueiras desaparecem, caminhamos na luz de Cristo.

No Pentecostes, desce o Espírito e nasce a Igreja. A Igreja é a comunidade daqueles que *renasceram do alto, da água e do Espírito* (Jo 3,35). Antes de tudo, a comunidade cristã não é resultado da livre decisão dos crentes; em sua origem há primariamente a gratuita iniciativa do Amor de Deus, que oferece o Dom do Espírito Santo. O assentimento da fé a este Dom de amor é resposta à graça e, ele mesmo, é suscitado pela Igreja. O Espírito move a Igreja em seu conjunto e cada fiel em particular. A vida e a ação da Igreja estão relacionadas com o Espírito Santo. Sem ele, a Igreja é como corpo sem espírito.

Maria santíssima, Mãe de Deus, é a obra prima da missão do Filho e do Espírito Santo na plenitude do tempo. Pela primeira vez no plano da salvação, e porque seu Espírito a preparou, o Pai encontra a morada em que seu Filho e seu Espírito podem habitar entre os homens. O Espírito preparou Maria com sua graça. Convinha que fosse *cheia de graça* a Mãe daquele em quem habita corporalmente a plenitude da divindade (Cl 2,9). Pela divina graça ela foi concebida sem pecado, como a mais humilde das criaturas, capaz de acolher Jesus, o Redentor. Maria canta, em seu Magnificat, a ação de graças de todas as criaturas.

Oração

Salmo 104,1-11.31

Bendize, ó minha alma, ao Senhor!
Senhor, Deus meu, como és grande;
Vestido de esplendor e majestade,
Envolto em luz como num manto,
Estendendo os céus como tenda,
Construindo tua morada sobre as águas;
Tomando as nuvens como teu carro,
Caminhando sobre as asas do vento,
Fazes dos ventos os teus mensageiros,
Das chamas de fogo teus ministros!
Assentaste a terra sobre suas bases,
Inabalável para sempre e eternamente,
Cobriste-a com o manto do oceano,
E as águas passaram por cima das montanhas;
A tua ameaça, porém, elas fugiram,
Precipitaram-se ao fragor de teu trovão;
Subiram pelos montes, desceram pelos vales,
Para o lugar que lhes tinhas fixado.
Puseste um limite que não podem transpor,
E não voltarão a cobrir a terra.
Fazes brotar fontes de águas pelos vales,
E elas correm pelo meio das montanhas,
Dão de beber a todas as feras do campo,
E os asnos selvagens matam a sede.
Que a glória do Senhor seja para sempre,
Que o Senhor se alegre com suas obras!

7

O TÚMULO VAZIO

"Depois do sábado, ao amanhecer do primeiro dia da semana, Maria Madalena e a outra Maria foram ver o túmulo. De repente, houve um grande tremor de terra: o anjo do Senhor desceu do céu e, aproximando-se, retirou a pedra e sentou-se nela." (Mt 28,1-2)

A pedra, rolada para fechar a entrada dos túmulos, protege os mortos, esconde a corrupção, maquia a dor da separação, sela o fim de uma existência. Contudo, o Senhor e Príncipe da vida não pode ser refém da morte nem experimentar a corrupção. "Eu sou o Primeiro e o Último, e o que vive. Estive morto e eis-me de novo vivo, pelos séculos dos séculos; tenho as chaves da morte e da região dos mortos" (Ap 1,17-18). O sepulcro está vazio. Cristo ressuscitou e, com sua ressurreição, renova todas as coisas (Ap 21,5).

A sociedade humana, marcada por sinais de morte, fecha-se em túmulos para se proteger e garantir a vida. As casas e os apartamentos são dotados dos mais sofisticados sistemas de segurança em nome da privacidade e da autodefesa. Exatamente onde deveria haver mais paz e convivência fraterna, as pessoas sentem-se escravas do medo, da angústia e da solidão. Em nome da preservação da vida, cultiva-se a morte.

No entanto, há um problema de fundo ainda maior: ao se fecharem casas e apartamentos, as pessoas correm o risco de se isolarem a ponto de inviabilizar a convivência humana. Vive-se no mesmo condomínio, na mesma rua e, sequer, estabelece-se um relacionamento mais profundo. Afinal, a vida dos outros não interessa! É mais prudente manter distância! Não fica bem ser invasivo. A sociedade moderna cultiva mais o medo que a solidariedade.

É preciso sair e não se enclausurar. Sair para construir um novo projeto de convivência humana, novos relacionamentos, baseados não na ganância e no consumo, mas no respeito à pessoa humana, no acolhimento aos mais fragilizados e excluídos, farrapos humanos que perambulam pelas cidades. Quem não se sente amado e incluído no convívio humano busca compensação naquilo que lhe parece mais oportuno.

Sair é abandonar definitivamente o caminho que conduz à morte e abrir estradas que convergem na busca dos interesses comuns que possam instaurar nova ordem de valores e de relacionamentos. Sair significa abandonar a situação cômoda em que se vive, para enfrentar o desafio de criar novos laços que unam os seres humanos em uma só família, encontrar lugares onde não mais existam muros que separam, mas ruas que provocam encontros. Não busquemos, entre os mortos, aquele que está vivo (Lc 24,5). Ele vos precederá na Galileia. Lá o Ressuscitado se manifestará (Mc 16,7). Galileia é terra de missão, caminho que leva aos gentios, a toda a humanidade. "Ide, pois, e fazei discípulos entre todas as nações" (Mt 28,19). Como discípulos do Senhor, que morreu por nós, mas reina vivo, somos chamados a levar a alegria do Evangelho. Ser cristão não é uma carga, mas um dom (DA, 28). Em Cristo Ressuscitado a vida venceu a morte. "A alegria do discípulo é antídoto diante de um mundo atemorizado pelo futuro e oprimido pela violência e pelo ódio. A alegria do discípulo não é um sentimento de bem-estar egoísta, mas uma certeza que brota da fé, que serena o coração e capacita para anunciar a Boa-nova do amor de Deus. Conhecer a Jesus é o melhor presente que qualquer pessoa pode receber, tê-lo encontrado foi o melhor que ocorreu em nossas vidas, e fazê-lo conhecido com nossa palavra e obras é nossa alegria" (DA, 29).

Em sua Exortação Apostólica *Evangelii Gaudium,* Papa Francisco adverte: "Não fujamos da ressurreição de Jesus; nunca nos demos por mortos, suceda o que suceder. Que nada possa mais do que sua vida,

7. O TÚMULO VAZIO

que nos impele para diante" (EG, 3). Toda ação evangelizadora autêntica é sempre nova, porque Jesus é sempre novo. "É preciso passar de uma pastoral de mera conservação, exorta Papa Francisco, para uma pastoral decididamente missionária" (EG, 16).

O apelo da Igreja, a esposa bem-amada: *Vem, Senhor Jesus* (Ap 22,20), não deve ser um grito de cansaço, de desânimo, de angústia, mas uma aclamação da vitória da vida sobre a morte, da graça sobre o pecado, da esperança sobre o desespero, do bem sobre o mal.

Sl 118

**Eis o dia que o Senhor fez para nós:
Alegremo-nos e nele exultemos!**

Dai graças ao Senhor, porque Ele é bom!
Eterna é a sua misericórdia!
A casa de Israel agora diga:
Eterna é a sua misericórdia!

A mão direita do Senhor fez maravilhas,
A mão direita do Senhor me levantou,
Não morrerei, mas, ao contrário, viverei,
Para cantar as grandes obras do Senhor.

A pedra que os pedreiros rejeitaram
Tornou-se a pedra angular.
Pelo Senhor é que foi feito tudo isso:
Que maravilhas Ele fez a nossos olhos!

8

MARTA E MARIA

"A quem o segue, dá o Senhor de beber, por mil modos, a fim de que ninguém se retire desconsolado e morra de sede[1]." (Santa Tereza de Jesus)

O evangelho de Lucas conta que, passando pela aldeia de Betânia, Jesus hospedou-se na casa de seus amigos Maria, Marta e Lázaro (Lc 10,38-42). É o mesmo Jesus que, ainda hoje, presente naqueles que nos procuram, espera nossa acolhida. São tantos os peregrinos em nossa sociedade de exclusão, carentes de pão, de dignidade, de amor. À beira do caminho de um mundo marcado pelas injustiças e pelo desamor, os que esperam acolhimento são sempre os mais pobres, os que na verdade andam à margem do desenvolvimento social e da atenção do poder público. Esses necessitados, acima de tudo de amor, espe-

---

[1] SANTA TEREZA DE JESUS, Caminho da perfeição, 20,2.

ram os bons samaritanos, que somos todos nós que acreditamos na transformação da sociedade pela força do amor.

A acolhida de Deus passa pelo amor aos irmãos: "Caríssimos, amemo-nos uns aos outros, porque o amor vem de Deus, e todo o que ama é nascido de Deus e conhece a Deus, porque Deus é amor" (1Jo 4,7-8). Hospedamos a Cristo quando recebemos o irmão. A contemplação de Deus, pela oração, está intimamente relacionada ao amor fraterno. Contemplação e zelo apostólico devem mutuamente se completar. "A presença de Deus não depende da vontade do homem, mas sim do próprio Deus, e Ele sempre está aí. Esse é um fato, um fato fundamental de nossa fé, e uma constante oferta ao homem[2]."

Não há Maria sem Marta; de modos diferentes, mas complementares, as duas atitudes fazem parte do acolhimento cristão. "Maria e Marta eram irmãs, não apenas irmãs de sangue, mas também pelos sentimentos religiosos. Ambas estavam unidas no Senhor, ambas, em perfeita harmonia, serviam ao Senhor corporalmente presente. Marta o recebeu como costumam ser recebidos os peregrinos. No entanto, era a serva que recebia seu Senhor. Uma doente que acolhia o Salvador; uma criatura que hospedava o Criador. Recebeu o Senhor para lhe dar o alimento corporal, ela que precisava do alimento espiritual[3]."

A acolhida de Marta completa-se com a de Maria, que se sentou *aos pés do Senhor para ouvir sua palavra.* Todo serviço fraterno antecede e perfaz o encontro místico com Jesus. Assim fez Maria, a Mãe de Deus, que acolheu em seu coração e em sua vida o anúncio do anjo e se fez a serva do Senhor (Lc 1,38). Também Marta, por ocasião da morte de seu irmão Lázaro, sai ao encontro de Jesus para acolhê-lo na fé: "Senhor, se estivesses aqui, meu irmão não teria morrido. Mas sei ainda agora que tudo o que pedires a Deus, Ele te concederá" (Jo 11,21-22). Aquela que se agitava e se preocupava em hospedar o Senhor em sua casa (Lc 10,40) foi a primeira a acolher Jesus em seu ato de fé: "Sim, Senhor, eu creio que tu és o Cristo, o Filho de Deus que vem ao mundo" (Jo 11,27)!

A Igreja acolhe os diferentes carismas. Todos são inspirados e alimentados pelo mesmo Espírito. Cada um, a seu modo, completa o Corpo Místico de Cristo e é expressão de seu amor redentor. "Ao lado dos especialistas da oração deve haver os especialistas na ação. Ao lado dos contemplativos, os ativos. É necessário o gesto de Maria, que, *sentada aos pés de Jesus, ouvia*

---

[2] ANSELM GRÜN E FIDELIS RUPPERT. *Orar e Meditar.* Petrópolis: Vozes, p. 35.
[3] SANTO AGOSTINHO. *Felizes os que merecem receber o Cristo em sua casa.* Liturgia das Horas, vol. III, p. 1454.

8. Marta e Maria

sua palavra (Lc 10,39). Necessário é também o solícito serviço de Marta, que prepara a mesa da caridade para os irmãos. Ambos são serviços ao Senhor e concorrem ambos para a glória de Deus e a salvação dos homens"[4].

O Catecismo da Igreja Católica nos recorda da importância de ambas as atitudes: a oração mental é escuta da palavra de Deus. Longe de ser passiva, essa escuta é obediência da fé, acolhida incondicional do servo e adesão amorosa do Filho. Participa do *sim* do Filho que se tornou servo e do *fiat* de sua humilde serva. Para servir bem, para servir sempre, é necessária a vida de oração. Jesus sacia a sede de amor e de ser amado.

A consagração a Deus pela vida de oração e pela prática da caridade exige atitudes bem definidas do cristão. "A busca da síntese entre as dimensões vertical e horizontal deste único amor é tão antiga quanto a própria vida cristã. Mas é muito natural que, em seu progresso constante, a Igreja perceba melhor a necessidade dessa síntese, enquanto simultaneamente a situação do mundo obriga os cristãos a um aprofundamento da consciência das exigências da caridade para com os homens[5]."

A espiritualidade cristã não aceita dualismo: ou Deus, ou o próximo. O amor a Deus passa pelo acolhimento do próximo. A experiência mística de Maria necessita do serviço fraterno de Marta. "Não há gênero de vida, nem mesmo a mais contemplativa, que exclua o dever e a necessidade de nos ocuparmos com o próximo; se as obras externas são reduzidas ao mínimo, é preciso concentrar esforços na oração e na imolação apostólica[6]."

O trabalho tem uma função para a vida espiritual; é um teste de nossa autenticidade: "Sem o trabalho, a oração poderia transformar-se em um piedoso girar em torno do próprio eu. Nós desfrutamos dos sentimentos religiosos, mas permanecemos parados em nós mesmos e, na verdade, não encontramos Deus, e sim as imagens de nossa própria fantasia"[7].

Referindo-se à consagração religiosa, o Concílio Vaticano II enfatiza: "Ninguém pense que a consagração torna os religiosos pessoas alienadas ou inúteis à sociedade. Mesmo quando não estão diretamente presentes entre os seus contemporâneos, continuam unidos a eles pelo amor de Cristo, cooperando igualmente na construção da cidade terrena, que tem seu fundamento no Senhor, e devem ser por

---

[4] Gabriel de Santa Marina Madalena. *Intimidade Divina*. São Paulo: Loyola, 1990, p. 1026-1027.
[5] René Voillaume. *Relações interpessoais com Deus*. São Paulo: Paulinas, 1973, p. 47.
[6] Gabriel de Santa Marina Madalena. *Intimidade Divina*. São Paulo: Loyola, 1990, p. 502.
[7] Anselm Grün. *Orar e trabalhar*. Petrópolis: Vozes, 2005, p. 25.

Ele dirigidos, para que não trabalhem em vão os que edificam" (LG 46). Jesus, porém, adverte: "Maria escolheu a melhor parte, que não lhe será tirada" (Lc 10,42). Por que Maria escolheu a melhor parte? Porque a contemplação será a única atitude a ser vivida no céu. Não precisaremos mais acolher o próximo: Deus, eterno Amor, acolhe-nos a todos, e viveremos para sempre, acolhendo-nos uns aos outros na fonte da Caridade. A contemplação amorosa de Deus unirá para sempre o acolhimento ao Senhor e ao irmão. Como afirma Gabriel de Santa Maria Madalena, o essencial, "o único necessário para si e para os outros é a comunhão íntima com Deus. Sem ela, impossível é a autêntica comunhão de caridade com os irmãos; sem ela, reduzem-se as obras apostólicas à pura atividade humana"[8].

Hino à Caridade
(1Cor 13,1-8)

Se eu falasse todas as línguas,
As dos homens e as dos anjos,
Mas se não tivesse caridade,
Eu seria como um bronze que soa
Ou um címbalo que retine.
Se eu tivesse o dom da profecia,
Se conhecesse todos os mistérios
E toda a ciência,
Se eu tivesse toda a fé,
A ponto de transportar montanhas,
Mas se eu não tivesse caridade,
Eu não seria nada.
Se eu gastasse todos os meus bens
Para o sustento dos pobres,
Se entregasse meu corpo às chamas,
Mas não tivesse caridade,

---

[8] GABRIEL DE SANTA MARIA MADALENA. *Intimidade Divina*. São Paulo: Loyola, 1990, p. 1067.

Isso de nada me serviria.
A caridade é paciente, é benigna;
Não é invejosa, não é vaidosa,
Não se ensoberbece;
Não faz nada de inconveniente,
Não é interesseira,
Não se encoleriza, não guarda rancor;
Não se alegra com a iniquidade,
Mas se regozija com a verdade.
Suporta tudo,
Crê tudo,
Espera tudo,
Desculpa tudo.
A caridade não acabará jamais.

9

O MISTÉRIO DA CRUZ

"O caminho da perfeição passa pela cruz. Não existe santidade sem renúncia e sem combate espiritual. O progresso espiritual envolve ascese e mortificação, que levam gradualmente a viver na paz e na alegria das bem-aventuranças." (*Catecismo da Igreja Católica*, n. 2015)

O mundo não está dividido entre pessoas que sofrem e outras, privilegiadas, que não sofrem. Todos sofrem. A diferença está em dar ou não sentido ao sofrimento. O sofrimento é herança de todos os seres humanos. A cruz lembra que Jesus crucificado traz esperança para quaisquer sofrimentos, porque foram superados por sua morte e sua ressurreição. A cruz lembra àqueles que sofrem que não foram esquecidos por Deus, que Deus olha para eles como olhou para seu Filho, transformando o opróbrio em glorificação.

Para nós, cristãos, o simbolismo da cruz faz parte integrante de nossa fé: Jesus morreu pregado em uma cruz. Na profissão de fé cristã, afirmamos solenemente que Jesus Cristo, Filho Unigênito de Deus, *por nós homens e por nossa salvação, desceu dos Céus, encarnou-se no seio da Virgem Maria e se fez homem, por nós foi crucificado, padeceu e foi sepultado, ressuscitou ao terceiro dia e subiu aos céus.* Cristo crucificado é sinal de segurança; não há desespero que não possa ser vencido nem trevas que não possam ser transformadas em luz. Deus desceu para as trevas mais profundas, a fim de que o sofrimento e a fraqueza fossem transfigurados em luz.

Embora *escândalo para os judeus e loucura para os gentios,* Jesus crucificado é força e sabedoria de Deus (1Cor 1,21-25). A liturgia proclama: *porque por vossa cruz remistes o mundo.* Como a serpente de bronze erguida no deserto salvou os que eram mordidos pela serpente abrasadora (Nm 21,8-9), assim Cristo crucificado tornou-se salvação para todo o gênero humano: *Eis o lenho da cruz, da qual pendeu a salvação do mundo,* proclamamos na Sexta-feira Santa ao desvendar o Cristo crucificado. Quem está amarrado à cruz de Cristo pode navegar com segurança por entre as confusões deste mundo. O madeiro da cruz salva nossa natureza náufraga e nos conduz com segurança ao porto da salvação.

A religiosidade popular retomou o mistério da Cruz na prática da **Via-Sacra** (*Via-Crúcis*, "caminho da cruz"), que é o trajeto seguido por Jesus carregando a cruz, que vai do Pretório até o Calvário. Pelo exercício da Via-Sacra, os fiéis percorrem mentalmente a caminhada de Jesus. Tal exercício, muito usual no tempo da quaresma, teve origem na época das Cruzadas (do século XI ao século XIII): os fiéis que percorriam a Terra Santa, os lugares sagrados da Paixão de Cristo, quiseram reproduzir no Ocidente a peregrinação feita ao longo da Via Dolorosa em Jerusalém. O número de estações, passos ou etapas dessa caminhada foi sendo definido paulatinamente, chegando à forma atual, de quatorze estações, no século XVI.

Paulo relaciona a atitude de Adão com a de Cristo: comendo do fruto da árvore proibida, Adão se afasta de Deus e tem como herança a morte: Jesus, assumindo a árvore da cruz, torna-se fonte de salvação para toda a humanidade (Rm 5,14-17). Em sua Carta Apostólica sobre o sentido cristão do sofrimento humano, São João Paulo II afirma: "Com seu sofrimento, os pecados são cancelados precisamente, porque só Ele, como Filho unigênito, podia tomá-los sobre si, assumi-los com aquele amor para com o Pai que supera o mal de todos os pecados; num certo sentido, Ele aniquila o mal no plano espiritual das relações entre Deus e a humanidade e enche o espaço criado com o bem"[1].

Nisso se manifestou o amor de Deus para conosco, em que enviou seu Filho unigênito ao mundo, para que, por Ele, vivamos. Nisso conhecemos o amor: Ele deu sua vida por nós. Ele é a propiciação pelos nossos pe-

---

[1] *Salvifici Doloris*, n. 17.

9. O MISTÉRIO DA CRUZ

cados, e não somente pelos nossos, mas pelos de todo o mundo (1Jo 4,9; 3,16 e 2,2). Ele carregou sobre si nossas enfermidades e assumiu nossas dores. Por nossas iniquidades é que foi ferido, por nossos pecados é que foi torturado. O castigo que nos havia de trazer a paz caiu sobre Ele, e por suas chagas fomos curados (Is 53,4-5). Quando traçamos o sinal da cruz sobre a fronte, invocamos sobre nós a proteção de Jesus crucificado e nos comprometemos em segui-lo até o alto do Calvário. Paulo afirmou que o mundo foi crucificado para Ele e Ele para o mundo (Gl 6,14).

Amar a Cristo é morrer a mesma morte que Ele. *Ser crucificado para o mundo* significa abrir mão de tudo para ser inteiramente de Cristo. O orgulho e o egoísmo estão na raiz de todo pecado; Jesus os vence, humilhando-se a si mesmo e fazendo-se obediente até à morte, e morte de Cruz (Fl 2,8). Cristo, apesar de Filho de Deus, aprendeu a obedecer por aquilo que sofreu e, uma vez atingida a perfeição, tornou-se, para todos os que lhe obedecem, fonte de salvação eterna (Hb 5,8-9). Assim como, pela desobediência de um só [Adão], muitos se tornaram pecadores, assim também, pela obediência de um só [Cristo], muitos se tornaram justos (Rm 5,19). A cruz é imagem daquilo que atravessa nossa vida, nosso caminho, e que só pode ser transposto em comunhão com o mistério da Cruz de Cristo.

Cristo quis a Cruz, livremente. Desejou-a com ardor: com um batismo de sangue tenho de ser batizado, e como trago o coração apertado até que ele se realize! (Lc 12,50). Seu Sacrifício redentor foi, pois, plenamente voluntário. A Cruz foi seu altar. Jesus encaminhou-se para ela como Sacerdote, a fim de se oferecer a si mesmo como Vítima (Hb 7,27). Cristo amou-nos e por nós se entregou a Deus como oferenda e sacrifício de agradável odor (Ef 5,1). Cristo amou-nos até o fim (Jo 13,1). Na Cruz, amou-nos sem limite algum, sem recuo algum, sem poupar-se de nada, até o máximo, o extremo. "Em Jesus, e por meio de sua vida, morte e ressurreição e ascensão, a raça humana e toda a criação foram erguidas na união com o Pai e o Espírito Santo e incluídas na própria vida trinitária. Jesus preparou um lugar para todos nós na morada do Pai[2]."

"Essa *linguagem da Cruz* preenche a imagem da antiga profecia com uma realidade definitiva. Muitas passagens e discursos da pregação pública de Cristo atestam como Ele aceita desde o princípio esse sofrimento, que é a vontade do Pai para a salvação do mundo. Nesse ponto, a oração no Getsêmani reveste-se de uma importância decisiva. As palavras: *Meu Pai, se é possível, afasta de mim este cálice! Contudo, não se faça como eu quero, mas como tu queres!* (Mt 26,39), e as que vêm a seguir: *Meu Pai, se este cálice não pode passar sem que eu o beba, faça-se a tua vontade* (Mt 26,42), encerram em si uma eloquência multiforme"[3].

---

[2] C. BAXTER KRUGER, PH. D. *De volta à cabana*. Rio de Janeiro: Sextante, 2011, p. 125.
[3] JOÃO PAULO II. *Salvifici Doloris*, n. 18.

A cruz é, enfim, um convite à solidariedade para com as pessoas que sofrem. Ela nos liberta das ilusões deste mundo. Não pode tornar-se um símbolo de dominação, ao contrário, indica o caminho da verdadeira encarnação. O chão no qual a cruz foi plantada é nossa natureza, nossa história individual, somos nós. Ela nos estende entre o céu e a terra, a luz e as trevas, Deus e o pecado. Na cruz estamos em comunhão com Deus (vertical) e com os irmãos (horizontal). A cruz coloca diante de nossos olhos a morte, mas também a vida eterna. É um protesto contra a presunção e a autoglorificação, contra a absolutização dos poderes finitos.

Oração

Liturgia das Horas, vol. II, p. 238-239

Cristo padeceu por nós,
um exemplo nos deixou;
sigamos os seus passos,
para isto nos chamou.

Quem não cometeu pecado
nem um falso levantou.
Mal por mal jamais pagava,
ao Deus justo se entregou.

Em seu corpo lá na cruz
carregou nossos pecados,
para que ao pecado mortos
fôssemos purificados.

Por suas chagas nos curou.
Nós, ovelhas já perdidas,
para Ele retornemos,
ao pastor de nossas vidas.

10

UM DEUS COMPASSIVO

"Alegrem-se os céus e exulte a terra, porque o Senhor nosso Deus virá e terá compaixão dos pequeninos." (Is 49,13)

A misericórdia de Deus se fez conhecer em Jesus Cristo (Jo 1,18). Rico em misericórdia, o Pai derrama sobre nós seu amor pelo Espírito que nos foi dado (Ef 2,4s). Na pregação e nas atitudes de Jesus manifesta-se, de muitos modos, o amor misericordioso do Pai; mas esse amor pode ser percebido, de modo particular, na parábola do filho pródigo (Lc 15,11-32), no encontro com Zaqueu (Lc 19,1-10) e no perdão concedido à mulher adúltera (Jo 8,1-11).

A parábola do filho pródigo exprime, de maneira simples e profunda, o processo de conversão do ser humano e a obra do amor e da compaixão de Deus. O verdadeiro significado da misericórdia não consiste apenas em olhar a miséria humana, mas em ter compaixão do pecador arrependido. A misericórdia manifesta-se com sua fisionomia verdadeira e própria, quando promove e sabe tirar o bem de todas as formas de mal existentes no mundo e no homem[1].

Na cruz, Jesus lança seu perdão sobre a humanidade: "Pai, perdoai-lhes. Porque não sabem o que fazem" (Lc 23,34). No mistério da morte e da ressurreição de Cristo, o amor se manifesta mais forte do que a morte, mais forte do que o pecado, que tira do coração a capacidade de amar, de ter misericórdia. Na cruz foram cravados nossos pecados, e o sangue do Senhor Jesus os lavou. A cruz é como que um toque do amor eterno de Deus, curando as feridas mais dolorosas do ser humano. "Com efeito, a cruz de Cristo faz-nos compreender as mais profundas raízes do mal, que mergulham no pecado e na morte, e também se torna um sinal escatológico[2]."

O motivo pelo qual Deus nos perdoa sempre se encontra em sua misericórdia. Deus não tem prazer na morte do pecador. O coração de Deus não é como o coração humano, e seus pensamentos não são os nossos. Os pensamentos e os sentimentos humanos são marcados pela vingança, pelo ódio. O pecado endureceu o coração humano. É preciso que o Espírito do Senhor arranque nosso coração de pedra e nos dê um coração de carne (Ez 36,26).

Jesus tem um coração cheio de misericórdia. "Jesus, porém, reuniu seus discípulos e disse-lhes: Tenho piedade desta multidão; eis que há três dias está perto de mim e não tem nada para comer. Não quero despedi-la em jejum, para que não desfaleça no caminho" (Mt 15,32). Sem o alimento do amor divino, na travessia do deserto de nossa vida, somos fadados a morrer de fome. Por isso, "a Igreja professa a misericórdia de Deus, vive dela em sua experiência de fé e também em seu ensinamento, contemplando constantemente a Cristo, concentrando-se nele, em sua vida e em seu evangelho, em sua Cruz e Ressurreição, enfim, em todo o seu mistério"[3].

Os pequeninos, dos quais o Senhor tem compaixão (Is 49,13), são tantos, mas, de modo especial, aqueles que são desprovidos de sua dignidade humana e vagam pelas estradas da vida à espera de um *bom samaritano*. As feridas são muitas, poucos os bons samaritanos. Os assaltos à dignidade humana acontecem à luz do dia, diante de nós. Há feridos por toda a parte. Os menores abandonados imploram compreensão; os migrantes, que deixaram sua terra, seu país, esperam acolhimento e sobrevivência; os desempregados, um trabalho estável e um justo salário; os idosos, dignidade e respeito; os doentes, um acesso a tratamento rápido e decente. Estão, todos, à beira do caminho da humanidade, que passa indiferente à dor do irmão.

---

[1] Cf. JOÃO PAULO II. *Carta Encíclica sobre a misericórdia divina*, n. 6.
[2] Ibidem, n. 8.
[3] Ibidem, n. 13.

10. Um Deus compassivo

Jerusalém, a cidade do Templo sagrado, deve ser também a fonte da misericórdia. *A água que escorria por debaixo do lado direito do Templo,* na visão de Ezequiel, que, *aonde chagava fazia brotar a vida* (Ez 47,1-12), é figura da água que saiu do lado de Cristo (Jo 19,34), de sua entrega sem limites ao Pai pela redenção da humanidade.

Da Eucaristia, *fonte e cume de toda a vida da Igreja* (SC 10), brota a ação da Igreja. "Com efeito, não é o alimento eucarístico que se transforma em nós, mas somos nós que acabamos misteriosamente mudados por ele. Cristo alimenta-nos, unindo-nos a si, atrai-nos para dentro de si[4]." O lugar do culto é necessariamente a fonte do amor. Na Eucaristia, toda a existência humana encontra sentido, e toda dor, alívio. A celebração da vida de Deus em nós torna-se manifestação sacramental da comunhão da Igreja, que exige, por sua vez, um contexto de integridade dos laços, inclusive externos, de comunhão[5].

Louvores à misericórdia de Deus

Misericórdia divina, mistério inefável de amor.
Nós confiamos em vós.
Misericórdia divina, que envolve todo o universo.
Nós confiamos em vós.
Misericórdia divina, presente no mistério da Eucaristia.
Nós confiamos em vós.
Misericórdia divina, que nos acompanha em todos os momentos da vida.
Nós confiamos em vós.
Misericórdia divina, que nos eleva de toda a miséria.
Nós confiamos em vós.
Misericórdia divina, fonte de felicidade e de alegria.
Nós confiamos em vós.
Misericórdia divina, na qual somos todos imersos.
Nós confiamos em vós.
Misericórdia divina, repouso dos corações.
Nós confiamos em vós.

---

[4] Bento XVI. *Sacramentum Charitatis,* 70.
[5] João Paulo II. *Ecclesia de Eucharistia,* 38.

Oração

Deus eterno, em que a misericórdia é inefável
E o tesouro da compaixão inesgotável,
Olhai propício para nós
E multiplicai em nós vossa misericórdia,
Para que não desanimemos nos momentos difíceis,
Mas nos submetamos com grande confiança
A vossa vontade, que é amor
E a própria misericórdia.
Amém.

11

O PÃO PARTIDO

"Levantando os olhos e vendo uma grande multidão que vinha a ele, Jesus disse a Felipe: 'Aonde vamos comprar pão para que estes possam comer?'" (Jo 6,3-4)

Para ver mais longe e perceber as necessidades daqueles que nos circundam é preciso *levantar os olhos,* sair de nós mesmos, ter compaixão e tomar uma atitude concreta: *Aonde vamos comprar pão para que estes possam comer?* As precisões de nossos semelhantes não podem passar despercebidas ao olhar e ao coração dos seguidores de Cristo. É mais fácil e cômodo acolher a sugestão dos discípulos: "Este lugar é deserto e a hora já está avançada. Despede as multidões, para que possam ir aos povoados comprar comida" (Mt 14,15)! Somente aquele que amplia os horizontes é capaz de ver mais que uma multidão faminta: reconhece irmãos. O bom samaritano viu com o coração, teve piedade e cuidou do desconhecido que estava ferido (Lc 10,33-35).

Papa Francisco convocou todos a olhar o próximo com amor: "Precisamos todos de olhar o outro com os olhos de amor de Cristo, aprender a abraçar quem passa necessidade, para expressar solidariedade, afeto e amor"[1]. É preciso questionar-se, preocupar-se e se comprometer. Felipe ponderou friamente, de modo materialista: "Nem duzentos denários de pão bastariam para dar um pouquinho a cada um" (Jo 6,7). A sociedade de consumo é insensível: preocupa-se com suas necessidades e não com os necessitados, com aqueles que vivem à margem da cadeia produtiva, e como observa André: "Está aqui um menino com cinco pães de cevada e dois peixes. Mas que é isso para tanta gente" (Jo 6,9)?

O mundo consumista constata: o problema é a superpopulação do planeta! A insensibilidade e o comodismo inibem qualquer reação positiva: Não dá. Quem irá financiar tão ambicioso programa? A sociedade individualista de nossos tempos não está preocupada em encontrar soluções para atender os empobrecidos, mas em defender os próprios interesses. Não importa à economia de consumo que os pobres não tenham o que comer; como o homem rico do Evangelho, que se inquieta porque os celeiros são pequenos diante da projeção da grande colheita (Lc 12,18).

No entanto, o *pouco,* colocado nas mãos de Jesus, que ama cada ser humano com amor único, multiplica-se e sacia a todos. Na verdade, Jesus não tem necessidade de nada senão de nosso amor para com os irmãos. Entregar a tarefa a Jesus não significa eximir-se da responsabilidade do amor fraterno.

A ação da Divina Providência passa frequentemente por nossas mãos. Ou melhor: somos extensão dos braços da Providência. Quem ama, provê. Crer na Divina Providência significa, antes de tudo, ser providência para os outros. Os problemas sociais da humanidade não se resolvem somente com projetos políticos de massa, mas com atitudes pessoais, fraternas e comprometidas com o amor sem medidas. Aquilo que nos possa parecer pouco, diante da grandiosidade do problema, será suficiente e até sobrará, desde que seja nosso "tudo". O milagre do amor uma vez mais acontecerá: Jesus abençoará nossos esforços, e a multidão será saciada.

Ao buscar os cinco pães e os dois peixes, porque desejamos tomar parte na solução dos problemas, já começamos a amar o necessitado: Jesus leva à perfeição nosso amor incipiente. O fato de sairmos de nós mesmos, e nos interessarmos pelos que vivem excluídos à beira do caminho da humanidade, é o começo de uma atitude positiva em busca da

---

[1] Discurso na visita ao hospital São Francisco de Assis, na Providência de Deus, no dia 24 de julho de 2013.

11. O PÃO PARTIDO

solução definitiva dos problemas. O passo seguinte é aceitar o convite de Jesus: "Fazei as pessoas sentar-se" (Jo 6,10). Em seguida, distribuir os pães e os peixes à multidão (Mt 14,19). Engajar-se no serviço aos necessitados talvez seja o que possamos realmente fazer. Na verdade, quem multiplica o alimento é o Senhor. A caridade começa com o *cuidado* para com o povo, organizando-o em vista das verdadeiras soluções.

No entanto, resta ainda uma preocupação: Não desperdiçar "as sobras".

"Juntai os pedaços que sobraram, para que nada se perca" (Jo 6,12). Jamais se devem malbaratar as oportunidades de estender nossa ajuda a outras pessoas ausentes por ocasião da partilha fraterna. Os dons são preciosos, principalmente porque foram abençoados pelo Senhor. É preciso incorporar nessa tarefa todas as pessoas de boa vontade, harmonizar todos os esforços, para que ninguém se sinta excluído do banquete do Senhor Jesus. Os doze cestos cheios, que sobraram, simbolizam também o dom da Eucaristia: por meio do ministério da Igreja, Jesus continua *abençoando os pães, dando graças e entregando à humanidade seu corpo, pão para a vida do mundo.* Jesus, Pão partido para o povo quebrado.

Oração

1Jo

Deus é amor:
quem permanece no amor
permanece em Deus,
e Deus permanece nele!

Com isso saberemos que estamos em Deus.
Quem diz que permanece em Deus
deve pessoalmente caminhar
como Jesus caminhou.

O que ama seu irmão
permanece na luz
e não corre o risco de tropeçar.
Mas o que odeia seu irmão

está nas trevas
e não sabe aonde vai,
porque as trevas ofuscam seus olhos.

Vede que grande presente o Pai nos deu:
sermos chamados filhos de Deus!
E nós o somos!

Amemo-nos uns aos outros,
porque o amor vem de Deus.
Todo aquele que ama
nasceu de Deus
e conhece a Deus.

Se alguém disser que ama a Deus,
mas odeia o seu irmão, a quem vê,
não poderá amar a Deus,
a quem não vê!

12

Os vendilhões do templo

"A minha casa é uma casa de oração, mas vós fizestes dela um covil de ladrões." (Mt 21,13)

O templo em Jerusalém constituía-se em um lugar de peregrinação para todos aqueles que confessavam o judaísmo como sua religião. Era um lugar visitado por pessoas e comunidades de todas as nações. Cristo foi veemente contra a forma de como o comércio era executado dentro das dependências do templo, pois naquelas ações existiam engano, extorsões e comercializações corruptas. Em outras palavras, o lugar onde se reúnem os crentes deve limitar-se à adoração, exaltação e oração ao Pai, ao Filho e ao Espírito Santo. Da mesma forma, aqueles que possuem o correto entendimento da fé não devem compartilhar desse espírito mercantilista e devem ensinar a todos os preceitos corretos de uma fé sadia. O episódio dos vendilhões do templo de Jerusalém, além de manifestar o repúdio de Jesus por causa da profanação do templo, chama atenção para o zelo que devemos ter por nós mesmos, nós que somos templos de Deus: "Não sabeis que o vosso corpo é templo do Espírito Santo, que está em vós e que recebestes de Deus, e que, portanto, não pertenceis a vós mesmos" (1Cor 6,19)?

O pensamento de Paulo revela a dignidade do corpo humano. O *corpo de morte, o corpo do pecado* foi resgatado por Cristo (Rm 7,24-25), porque o Espírito que ressuscitou Jesus dos mortos, que habita em nós, também dará vida a nossos corpos (Rm 8,11). Nós temos as *primícias do Espírito* (Rm 8,23) e, portanto, devemos oferecer nossos corpos como sacrifício vivo, santo e agradável a Deus (Rm 12,1). O Senhor Jesus transformará nosso mísero corpo, tornando-o como seu corpo glorioso (Fl 3,21). Porque recebemos o Espírito de Cristo, formamos um único corpo (1Cor 12,13). O Espírito de Deus nos transforma como o fermento leveda a massa (Lc 13,21).

O templo, que somos nós, por vezes está repleto de vendilhões, cada qual oferecendo suas mercadorias. O consumo fica à flor da pele e, dificilmente, resiste às ofertas. A ilusão de felicidade sem o menor esforço, as promessas mirabolantes de sucesso financeiro, o amor sem compromisso, o poder sem escrúpulos, a vida fácil ao alcance das mãos e do coração. A vida se transforma em um mercado público, onde se oferece de tudo, compra-se e vende-se a ilusão da felicidade sem limites.

O templo de Deus, que somos nós, torna-se um *espaço para comprar e vender banalidades.* Há dois caminhos para evitar a banalidade do dia a dia: O primeiro consiste em tomar, às vezes, distância, até mesmo física, da agitação diária. Criar a nosso redor e dentro de nós mesmos um espaço de paz e de serenidade. A experiência dos místicos, em todos os tempos e em todas as religiões, confirma a importância dessa busca. O segundo caminho consiste na aceitação da rotina como um desafio para nela descobrir o poder do Espírito, que transforma o vazio existencial em momento de encontro comigo mesmo, com as pessoas e com Deus.

De fato, quando conseguimos entrar em nós mesmos, para estarmos a sós com o Senhor, Ele nos confiará o segredo da felicidade. "No íntimo de cada um de nós existe um espaço de silêncio ao qual o ruído do mundo não pode chegar, onde as preocupações e os problemas não têm acesso. Os padres da Igreja falam do *santo dos santos* que existe em nosso interior, do *lugar sagrado, do templo* que existe dentro de nós. A experiência do espaço sagrado da Igreja quer conduzir-nos à experiência do santuário interior. Sempre e em todo lugar nós podemos retirar-nos para esse santuário interior, onde a salvação e a integridade nos são devolvidas[1]."

No evangelho de Mateus, Jesus faz alusão ao olho como a lâmpada do corpo: "Se teu olho estiver são, todo o teu corpo será iluminado. Se o teu olho estiver em mau estado, todo o teu corpo estará nas trevas. Se a luz que

---

[1] Anselm Grün. *A Proteção do Sagrado.* Petrópolis: Vozes, 2003, p. 34.

está em ti são trevas, quão espessas deverão ser as trevas" (Mt 6,22-23). Evidentemente, não se trata do órgão responsável pela visão, mas sim da luz espiritual que ilumina todo o nosso ser, nossa consciência e a capacidade de discernir entre aquilo que conduz a Deus ou dele nos afasta. Esta *luz do espírito* pode estar ofuscada, pode *transformar-se em trevas,* se as solicitações deste mundo falarem mais alto que a voz do Espírito de Deus.

Sl 122 – Jerusalém, cidade santa.

Refrão: Rogai que viva em paz Jerusalém.

Que alegria, quando ouvi que me disseram:
Vamos à casa do Senhor!
Agora nossos pés já se detêm,
Jerusalém, em tuas portas.

Jerusalém, cidade bem edificada
Num conjunto harmonioso;
Para lá sobrem as tribos de Israel,
As tribos do Senhor.

Para louvar, segundo a lei de Israel,
O nome do Senhor.
A sede da justiça lá está
E o trono de Davi.

Rogai que viva em paz Jerusalém,
E com segurança os que te amam!
Que a paz habite dentro dos teus muros,
Tranquilidade em teus palácios!

Por amor dos meus irmãos e meus amigos,
Peço: *A paz esteja em ti!*
Pelo amor que tenho à casa do Senhor,
Eu te desejo todo o bem.

13

A COMUNHÃO DOS SANTOS

"Vi uma multidão imensa de gente de todas as nações, tribos, povos e línguas, e que ninguém podia contar. Estavam de pé diante do trono e do Cordeiro; trajavam vestes brancas e traziam palmas nas mãos. Todos proclamavam com voz forte: A salvação pertence a nosso Deus, que está sentado no trono, e ao Cordeiro." (Ap 7,9-10)

O Concílio Vaticano II assevera: "Fique bem claro que todos os fiéis, qualquer que seja sua posição na Igreja e na sociedade, são chamados à plenitude da vida cristã e à perfeição da santidade" (LG 40). Santo é o pobre em espírito, que faz das bem-aventuranças o caminho de entrega total a Deus (Mt 5,1-12). Santo é ainda aquele que se descobre como filho de Deus (1Jo 3,1-3). Santo, enfim, é aquele que testemunha Jesus Cristo; são os que vieram da grande tribulação, lavaram e alvejaram suas roupas no sangue do Cordeiro (Ap 7,14).

"Santa, afirmava Papa João XXIII, é a pessoa que sabe anular-se, constantemente, destruindo dentro e em torno de si aquilo em que outros encontrariam razões de louvores diante do mundo. Santa é a pessoa que mantém viva em seu peito a chama de um amor puríssimo para com Deus, acima dos lânguidos amores da terra. Santa é a pessoa que dá tudo, santifica-se pelo bem dos irmãos e procura na humilhação, na caridade, seguir fielmente os caminhos traçados pela Providência (não esqueçamos que é a Providência que guia as almas, e cada uma tem seu caminho próprio!). Nisso está toda a santidade"[1].

O Catecismo ensina que a Igreja é a assembleia de todos os santos: uma vez que todos os santos formam um só corpo, o bem de uns é comunicado aos outros. Somos todos membros do Corpo Místico, cuja Cabeça é o próprio Cristo. O Espírito Santo faz circular entre os membros todos os dons e os carismas, de modo a constituir um *fundo comum*. Essa comunhão se realiza em dois sentidos: a comunhão das *coisas santas – sancta –* e a comunhão entre as pessoas santas – sancti[2].

A comunidade cristã primitiva perseverava em íntima comunhão dos bens espirituais, fiéis à doutrina dos apóstolos, às reuniões em comum, à fração do pão e às orações (At 2,42). Os *bens espirituais* incluíam, pois, a comunhão na mesma fé, em torno da leitura, do aprofundamento e da vivência da palavra de Deus, que nutria a fé; da celebração do mistério pascal pela celebração dos sacramentos; da comunhão dos carismas que o Espírito Santo suscitava na comunidade em benefício de todos os fiéis; da partilha dos bens (At 4,32) e da comunhão na caridade (1Cor 13,1-13).

A comunhão entre as *pessoas santas* lembra que a Igreja constitui uma grande família, a família de Deus. Alguns desses membros ainda peregrinam por esta terra, perseguindo o alvo, rumo ao prêmio celeste, ao qual Deus os chama em Jesus Cristo (Fl 3,14), peregrinando na penumbra da fé; fazem parte da *Igreja militante,* que combate o bom combate da fé (1Tm 6,12). Outros – Igreja padecente –, terminada esta vida, são purificados, a fim de que se apresentem a Cristo como *virgens puras* (2Cor 11,2). Outros, enfim, estão já glorificados – *Igreja triunfante –, na cidade do céu, na Jerusalém do alto, nossa mãe, onde nossos irmãos, os santos, cantam eternamente o louvor de Deus* (Prefácio da solenidade de todos os santos), e junto de Deus entoam o cântico novo em louvor ao Cordeiro (Ap 15,3). A fé da Igreja vê-se fortalecida por essa comunhão.

---

[1] Cf. FLORÊNCIO NEOTTI. *Ministério da Palavra,* Ano C. Petrópolis: Vozes, 2003, p. 219.
[2] *Catecismo*, 946-948.

13. A COMUNHÃO DOS SANTOS

Pelo batismo, os membros da comunidade eclesial tornam-se filhos adotivos de Deus. Em Jesus, na unidade de seu Espírito, podemos chamar a Deus de Aba, Pai (Rm 8,15; Gl 4,6). Somos filhos no Filho. A comunhão entre nós nasce da união de todos os cristãos com a Comunidade da Santíssima Trindade e se plenificará, quando todos se reunirem na única família de Deus. A Trindade Santa é a fonte e o ápice da comunhão dos santos. Afirmam os bispos em Aparecida: "Os discípulos de Jesus são chamados a viver em comunhão com o Pai (1Jo 1,3) e com seu Filho, morto e ressuscitado, na comunhão no Espírito Santo (1Cor 13,13). O mistério da Trindade é a fonte, o modelo e a meta do mistério da Igreja: um povo reunido pela unidade do Pai e do Filho e do Espírito Santo, chamado em Cristo como *sacramento ou sinal e instrumento da íntima comunhão com Deus e da unidade de todo o gênero humano*" (DA, n. 155).

Oração

Deus eterno e todo-poderoso,
Que nos dais celebrar numa só festa
Os méritos de todos os santos,
Concedei-nos,
Por intercessores tão numerosos,
A plenitude de vossa misericórdia.
Por nosso Senhor Jesus Cristo, vosso Filho,
Na unidade do Espírito Santo.
Amém.

14

A FRAÇÃO DO PÃO

"Estando à mesa, Jesus tomou o pão, abençoou-o, depois o partiu e o deu a eles. Então seus olhos se abriram e o reconheceram; ele, porém, ficou invisível diante deles. E disseram um ao outro: não ardia o nosso coração quando Ele nos falava pelo caminho, quando nos explicava as Escrituras?" (Lc 24,30-32)

O caminho de Emaús é a estrada percorrida diariamente por cada um de nós e pela Comunidade Eclesial na descoberta do sentido último da paixão, morte e ressurreição do Senhor. O escândalo da cruz impediu no passado – dificulta ainda hoje – tantos cristãos de ver para além da cruz o Senhor glorioso. Como os dois discípulos, somos também nós *gente sem inteligência (Lc 24,25),* incapazes de reconhecer o Senhor na caminhada do dia a dia.

Há dois mil anos desse evento salvífico, somos convidados a crer naqueles que foram *testemunhas oculares* (At 1,22). Jesus não é mais encontrado no *sepulcro vazio,* e sim nas estradas do mundo. Em nosso caminho de fé, *Ele nos revela as Escrituras e parte o pão para nós* (Oração Eucarística VI B). Como aos dois discípulos de Emaús, Ele se torna próximo de nós, acompanha nosso passo, faz nosso coração arder.

O episódio da jornada de Emaús põe em evidência três momentos no encontro com o Ressuscitado: A Palavra, a Celebração da Eucaristia e a vivência da Comunidade Eclesial. O primeiro passo consiste em repensar as experiências já vividas, trazendo-as à consciência através da escuta da palavra em confronto com a vida. Jesus quer ser sempre de novo descoberto. A Palavra anunciada na comunidade eclesial é capaz de despertar a fé para o verdadeiro sentido da paixão, morte e ressurreição do Senhor. A Palavra fecunda a vida, aquece o coração, encaminha o retorno para a comunidade. *Começando por Moisés e percorrendo todos os profetas* (Lc 24,27), ainda hoje o Senhor *abrasa nosso coração,* preparando-nos para as vicissitudes da vida, os momentos de desilusão, de incertezas, de obscuridade e de penumbra, em busca de um motivo maior pelo qual vale a pena viver e lutar.

Ele jamais se afasta de nós, mesmo quando dele nos separamos. *Eu não vim chamar os justos, mas os pecadores* (Lc 5,32), *O Filho do Homem veio procurar e salvar o que estava perdido* (Lc 19,10). Como bom samaritano, o Senhor lava nossas feridas com o vinho da salvação, seu sangue precioso derramado na cruz (Lc 10,34). *Tua palavra, Senhor, é lâmpada para meus pés e luz para meu caminho* (Sl 119,105). A Escritura abre os olhos para a verdadeira identidade de Jesus, nosso Salvador. Só então somos capazes de entender que *não só de pão vive o homem, mas de toda palavra que procede da boca de Deus* (Mt 4,4).

Mas é na presença eucarística que a presença do Ressuscitado se torna plena, faz crescer a partilha do amor e das experiências da vida com Cristo. Na celebração eucarística da Igreja, somos alimentados pelo Pão da Palavra e pelo Pão eucarístico, celebrados pela Comunidade reunida em torno de Cristo, e encontramos também os irmãos na fé.

Ao partir o pão, se lhes abriram os olhos e o reconheceram, mas Ele desapareceu (Lc 24,31). "É por esse gesto que os discípulos o reconheceram após a ressurreição, e é com essa expressão que os primeiros cristãos designarão suas assembleias eucarísticas. Com isso

14. A FRAÇÃO DO PÃO

querem dizer que todos os que comem do único pão partido, Cristo, entram em comunhão com Ele e já não formam senão um só corpo[1]."
O Senhor ressuscitado sempre está conosco e em nosso meio. Para levar a termo sua obra salvífica, Jesus está presente em sua Igreja: "Cristo age sempre e tão intimamente unido à Igreja, sua esposa amada, e esta glorifica perfeitamente a Deus e santifica os homens, ao invocar seu Senhor e, por seu intermédio, prestar culto ao eterno Pai" (SC 7). Por estar vivo e ressuscitado, Cristo pode tornar-se *pão da vida* (Jo 6,35.48). A Igreja vive da Eucaristia. Na Eucaristia, Jesus não dá *alguma coisa,* mas se dá a si mesmo; entrega seu corpo e derrama seu sangue[2].

Depois que a fé foi revigorada, o Senhor pôde desaparecer; Ele já indicou o caminho de volta a Jerusalém. A experiência da fé é única e transforma nossa vida; ainda que, após ter partido o pão, o Senhor se torne novamente invisível, Ele continua presente no mistério da Eucaristia e no amor partilhado. *Ele é sempre o Emanuel, o Deus conosco.* Não é suficiente reconhecer o Senhor nas Escrituras e com Ele partir o pão; é preciso *voltar a Jerusalém,* refazer *o caminho de retorno à comunidade reunida.* A falta de fé esvazia a comunidade eclesial, e os cristãos já não se reconhecem como *a assembleia do Senhor.* Reavivada pela Palavra e pela Eucaristia, a fé reúne novamente na comunidade os discípulos de Jesus. Por isso, a Eucaristia é constitutiva do ser e do agir da Igreja.

O Senhor ressuscitado, somente Ele, preenche nossas desilusões. O encontro com Jesus torna os cristãos mais discípulos e testemunhas e os coloca em condição de irradiar sua experiência de fé. O testemunho da ressurreição não pode, no entanto, ficar apenas em palavras: deve continuar por meio de gestos e ações, que tornem visível o poder de Jesus, capaz de transformar a comunidade eclesial e toda a sociedade. A *volta a Jerusalém* significa o retorno à fonte de onde emana toda a vida da Igreja e a salvação de toda a humanidade: O Senhor ressuscitou!

---

[1] *Catecismo da Igreja Católica,* n. 1329.
[2] *Sacramentum Charitatis,* n. 7.

Oração

Atos dos Apóstolos 2,42-47

Os irmãos eram assíduos ao ensino dos Apóstolos, à comunhão fraterna, à fração do pão e às orações.
R.: Aumentai em nós, Senhor, a comunhão fraterna.
Perante os inumeráveis prodígios e milagres realizados pelos Apóstolos, toda a gente se enchia de temor.
R.: Aumentai em nós, Senhor, o temor de Deus.
Todos os que haviam abraçado a fé viviam unidos e tinham tudo em comum. Vendiam propriedades e bens e distribuíam o dinheiro para todos, conforme as necessidades de cada um.
R.: Aumentai em nós, Senhor, a unidade no amor fraterno.
Todos os dias frequentavam o templo, como se tivessem uma só alma, e partiam o pão em suas casas.
R.: Aumentai em nós, Senhor, a partilha dos bens e da vida.
Tomavam o alimento com alegria e simplicidade de coração, louvando a Deus e gozando da simpatia de todo o povo.
R.: Aumentai em nós, Senhor, a alegria e o louvor.
E o Senhor aumentava todos os dias o número dos que deviam salvar-se.
R.: Aumentai, Senhor, a família de vossa Igreja. Amém.

15

A NOITE DAS ENTREGAS

"Antes da festa da Páscoa, sabendo Jesus que tinha chegado a sua hora de passar deste mundo ao Pai, tendo amado os seus que estavam no mundo, ama-os até o fim." (Jo 13,1)

Na véspera de sua Paixão, durante a Última Ceia, Jesus celebra com seus discípulos a ceia e sua entrega incondicional ao Pai em favor da humanidade: "Meu tempo está próximo" (Mt 26,18). O Evangelista João refere-se com frequência à *hora de Jesus.* Em Caná da Galileia, por ocasião do primeiro milagre, Jesus lembra a sua Mãe que sua hora ainda não chegou (Jo 2,4). Na festa dos Tabernáculos, os fariseus e doutores da Lei procuravam prender Jesus, mas ninguém lhe pôs as mãos, *porque ainda não tinha chegado a sua hora* (Jo 7,30; 8,20). Aos peregrinos gregos, vindos a Jerusalém para adorá-lo, Jesus afirma que chegou a hora de sua glorificação (Jo 12,23). No entanto, pede ao Pai que o livre dessa hora (Jo 12,27). Ao final da Ceia, enfim, Jesus reconhece ter chegado a sua hora (Jo 16,32).

Chega, enfim, a *hora* de sua entrega ao Pai por nossa salvação. Paulo relata esse momento à comunidade de Corinto: "De fato, eu recebi do Senhor o que também vos transmiti: na noite em que ia ser entregue, o Senhor Jesus tomou o pão e, depois de dar graças, partiu-o e disse: Isto é o meu corpo entregue por vós. Fazei isto em memória de mim" (1Cor 11,23-24). Corpo dado, sangue derramado por nós. A entrega de Jesus foi fruto de seu amor.

A vida de Jesus constitui um contínuo ato de entrega pela humanidade.

Na obra da criação, o Verbo divino *empresta* sua imagem, para que o ser humano seja criado a sua semelhança (Gn 1,27). Por nós, homens, e por nossa salvação desceu do céu e se encarnou por obra do Espírito Santo em Maria Virgem. A entrega de Deus torna-se visível em Cristo e por meio de Cristo. O mistério pascal constitui o ponto culminante dessa entrega. O autor da Carta aos Hebreus lembra essa doação: "Ele, nos dias de sua vida na carne, dirigiu preces e súplicas, com forte clamor e lágrimas, àquele que tinha poder de salvá-lo da morte. E foi atendido por causa de sua piedosa submissão" (Hb 5,7).

A segunda entrega é protagonizada por Judas, aquele que entregou Jesus (Mc 3,19). Judas conviveu com Jesus, mas não o amou; seguiu Jesus, mas não foi seu discípulo. O verdadeiro discípulo jamais trai seu mestre. Nas estradas de nosso discipulado nem sempre, talvez, fomos fiéis. As fraquezas do cotidiano não deixam de ser pequenas traições. Nesses momentos não nos furtemos de fixar o olhar em Cristo crucificado; de seu olhar, de seu coração aberto pela lança, brotam torrentes de misericórdia. Foi certamente esse olhar que fez Pedro chorar amargamente (Mt 26,74). Judas entrou em desespero e se enforcou (Mt 27,5). Quando traímos o amor de Jesus, as lágrimas do arrependimento são Seu Sangue redentor, que lava nossos pecados.

Comenta São João Paulo II: "Os acontecimentos da Sexta-feira Santa, e ainda antes, a oração no Getsêmani introduzem uma mudança fundamental em todo o processo da revelação do amor e da misericórdia, na missão messiânica de Cristo. Aquele que passou *fazendo o bem e curando a todos e sanando toda espécie de doenças e enfermidades* mostra-se Ele próprio, agora, digno da maior misericórdia, e parece apelar para a misericórdia, quando é preso, ultrajado, condenado, flagelado, coroado de espinhos, quando é pregado na cruz e expira no meio de tormentos atrozes. É então que Ele se apresenta particularmente digno da misericórdia dos homens a quem fez o bem; e não a recebe" (*Sobre a misericórdia divina*, n. 7).

15. A NOITE DAS ENTREGAS

O apóstolo Pedro adverte: "Caríssimos, não estranheis o fogo da provação que lavra entre vós, como se alguma coisa de estranho vos estivesse acontecendo. Pelo contrário, alegrai-vos por participar dos sofrimentos de Cristo, para que possais exultar de alegria quando se revelar em sua glória" (1Pd 4,12-13). Na noite em que foi entregue (1Cor 11,23), Jesus entregou-se inteiramente a seus discípulos e a toda a humanidade. Está faltando nossa entrega não por palavras, mas pela fidelidade, pelo compromisso do verdadeiro discípulo. Lembram os bispos em Aparecida: "Na antiguidade, os mestres convidavam seus discípulos a se vincular com algo transcendente, e os mestres da Lei propunham a adesão à Lei de Moisés. Jesus convida a nos encontrar com Ele e a que nos vinculemos estreitamente a Ele, porque é a fonte da vida. Só Ele tem palavras de vida eterna" (DA, n. 131). A convivência cotidiana com Jesus nos torna seus familiares (Mt 12,49-50).

Oração

Senhor,
Ensina-me a ser generoso,
A dar sem calcular,
A trabalhar sem importar-me com a recompensa,
A entregar-me aos outros sem esperar o *muito obrigado,*
A servir sempre meus irmãos,
A fazer a caridade do sorriso,
Quando não tiver outra coisa para dar,
A doar-me em tudo e cada vez mais
Àquele que precisar de mim,
A só esperar em ti a minha recompensa,
E, mesmo que esta não exista,
A fazer tudo isso,
Simplesmente, porque é essa a tua vontade.
Amém.

16

A ORAÇÃO COMO ENCONTRO

"Ó Deus, vós sois o meu Deus, com ardor vos procuro. Minha alma está sedenta de vós, e minha carne por vós anseia." (Sl 62,2)

A oração pode ser entendida como um processo que leva ao encontro com Deus e com os semelhantes. No entanto, para percorrer esse caminho é preciso, antes de tudo, entrar em si mesmo, descobrir os sentimentos e intenções mais profundas que norteiam a própria vida, escutar as razões do coração, dar ouvidos às carências e às necessidades, reconciliar-se consigo mesmo. O autoconhecimento não é apenas uma condição para a verdadeira oração, mas a própria oração é uma ajuda para o ser humano conhecer a si mesmo. Na medida em que se permite a ação do Espírito, percebe-se também a vontade de Deus e o poder de sua graça.

"Na oração temos de ser verdadeiramente sinceros. Temos de apresentar-nos com sinceridade e com simplicidade diante de Deus. Quando a oração é de fato autêntica, ela serve de meio para conhecer-nos melhor a nós mesmos e para que possamos, desta maneira, comparecer com grande veracidade diante de nosso Deus[1]." Maria manifesta sua busca interior de Deus quando, ao visitar sua prima Isabel, descreve no *Magnificat* o quanto o Senhor nela fez maravilhas (Lc 1,46-56).

Em um segundo momento, a oração leva ao encontro com Deus. "A oração, como encontro do homem com Deus, é para nós sempre um dom da graça de Deus em nós e não mérito nosso. Deus mesmo vem ao nosso encontro por pura graça. Nós podemos encontrá-lo somente porque Ele quer nos encontrar, porque está presente e espera que também nós estejamos prontos para encontrá-lo[2]." Deus não tem nenhuma necessidade de nossa oração; somos nós que precisamos dele. Orar é lançar um olhar de fé sobre a realidade do mundo.

Encontrar Deus em Jesus. O caminho para Deus é seu Filho, Jesus Cristo. "Ninguém jamais viu a Deus. O Filho único, que está no seio do Pai, foi quem o revelou" (Jo 1,18). Somente na oração o homem descobre sua plena dignidade, na qual é chamado a estar diante de Deus. A oração de Jesus faz da oração cristã uma súplica eficaz. É Ele seu modelo; Jesus reza em nós e conosco. Já que o coração do Filho não busca senão o que agrada ao Pai, como haveria de apegar-se mais aos dons do que ao Doador?

A oração é o caminho que nos conduz à morada do tesouro interior. Lá onde Deus habita (Mt 6,19-24). Na oração colocamos nas mãos de Deus nossas preocupações (Mt 6,25-34; 7,7-11). Ele nos conhece e nos ama como ninguém. "Antes que no seio fosses formado, eu já te conhecia; antes de teu nascimento, eu já te havia consagrado" (Jr 1,5). Quando Deus se dirige a nós, Ele nos cobre com uma paz profunda e uma alegria interior.

O que devemos dizer a Deus? Tudo o que somos, o que desejamos ser. Diante de Deus encontramo-nos protegidos, Ele nos envolve e conhece nossos pensamentos (Sl 93,11). Jó fez essa experiência: "Eu te conhecia somente por ter ouvido dizer, mas agora meus próprios olhos te veem. Por isso eu me retrato e me arrependo, e me retrato sobre o pó e sobre a cinza" (Jó 42,5-6). O salmista reconhece a presença transformadora do Senhor: "Vós me cercais por trás e pela frente e estendeis sobre mim a vossa mão. Conhecimento assim maravilhoso me ultrapassa, ele é tão sublime que não posso atingi-lo" (Sl 138,5-6).

---

[1] RENÉ VOILLAUME. *Relações interpessoais com Deus*. São Paulo: Paulinas, 1973, p. 112.
[2] ANSELM GRÜN. *A oração como encontro*. Petrópolis: Vozes, 2001, p. 25.

16. A ORAÇÃO COMO ENCONTRO

A oração se realiza também no silêncio respeitoso. Aí Deus se torna mais perceptível; ensina-nos a escutar aquilo que o Senhor quer de nós. Pelo silêncio nos tornamos um com Deus. Ele é, por vezes, a maior comunicação. Rezar é pensar em Deus, amando-o. Esse encontro faz de minha vida uma oração permanente. "Achamos ter feito boa oração quando a sentimos, quando ela nos parece deixar satisfeitos. Na verdade, só a satisfação é sinal de que nossa oração é imperfeita, pois ela mostra que nós estamos mais à procura da satisfação como tal que de Deus mesmo[3]."

A oração não somente nos une a Deus, mas prepara nosso coração para o encontro com os irmãos. Orar pelo próximo é um método fecundo de autoconhecimento. Quando oramos pelo outro, nós renunciamos ao pré-julgamento sobre ele e tentamos vê-lo à luz de Deus. Não oramos sozinhos; estamos em comunhão com toda a Igreja. Formamos um povo em oração, e o Senhor se faz presente: "Se dois de vós se unirem sobre a terra para pedir, seja o que for, consegui-lo-ão de meu Pai que está nos céus. Porque onde dois ou três estão reunidos em meu nome, aí estou eu no meio deles" (Mt 18,19-20). Precisamos da oração pessoal, porque não somos apenas chamados a agir como membros da Igreja, mas também como filhos de Deus, como irmãos de Jesus e como criaturas destinadas à visão beatífica.

Jesus insiste em que devemos orar sem cessar, rezar sempre *(1Ts 5,17)*. A oração torna-se uma necessidade vital. Santo Agostinho adverte: "Não te aflijas, se não recebes imediatamente de Deus o que lhe pedes, pois Ele quer fazer-te um bem ainda maior por tua perseverança em permanecer com Ele na oração. Ele quer que nosso desejo seja provado na oração. Assim Ele nos prepara para receber aquilo que Ele está pronto a nos dar"[4]. É preciso, por vezes, aceitar com perseverança *as demoras de Deus.*

A oração e a vida cristã são inseparáveis. Jesus será sempre o Mestre supremo da oração, não somente porque Ele falou a respeito dela, mas pelo exemplo de sua vida, porque orou melhor do que qualquer outro homem. Jesus viveu a oração perfeita. Ele assegura que o Pai sempre nos ouve (Jo 14,13). "O verdadeiro homem de oração perde a si mesmo de vista; seu único olhar é para Deus, e é um olhar de pura fé[5]."

---
[3] RENÉ VOILLAUME. *Relações interpessoais com Deus.* São Paulo: Paulinas, 1973, p. 120-121.
[4] *Catecismo da Igreja Católica*, n. 2737.
[5] RENÉ VOILLAUME. *O fermento na massa.* Rio de Janeiro: Agir, 1968, p. 87.

Oração

Invoquemos o Pai
com as palavras que o Espírito põe em nossos lábios:
Pai Nosso, que estais no céu!
Porque desejamos que a luz de Cristo
ilumine todos os seres humanos,
pedimos:
Santificado seja o vosso Nome!
Porque Jesus nos fez participantes
de sua própria vida como filhos de Deus,
ousamos dizer: Venha a nós o vosso Reino!
Cristo ressuscitado
fez de nós um só coração, uma só alma.
Podemos dizer com confiança:
Seja feita a vossa vontade!
Unamos nossa oração à de Jesus,
nosso Advogado junto ao Pai.
Digamos como Ele nos ensinou:
Assim na terra como no céu!
Cristo ressuscitado deu-nos o Espírito Santo,
que ora dentro de nós, em nossa fraqueza.
Peçamos com confiança:
Perdoai as nossas ofensas!
Filhos de Deus pelo batismo,
unidos no Espírito de Cristo,
invoquemos o Pai:
Como nós perdoamos aos que nos ofendem!
Porque Deus derramou em nossos corações
o Espírito de seu Filho,
atrevemo-nos a dizer:
Não nos deixeis cair em tentação!
Felizes pela filiação divina,
confirmamos nossa esperança, rezando com Cristo:
mas livrai-nos do mal. Amém!

17

A PORTA DA FÉ

"A fé é o fundamento da esperança, é uma certeza a respeito do que não se vê." (Hb 11,1)

A Porta da Fé que introduz na vida de comunhão com Deus e permite a entrada em sua Igreja está sempre aberta para nós. Atravessar essa porta implica embrenhar-se em um caminho que dura a vida inteira. Esse caminho tem início no Batismo. Professar a fé na Trindade – Pai, Filho e Espírito Santo – equivale a crer em um só Deus, que é Amor. A fé não se restringe a um mero sentimento: exige uma adesão pessoal a Deus, que se revelou em Jesus Cristo (Jo 12,1). Somente Jesus viu o Pai, porque é o Filho unigênito do Pai e conhece o Pai (Jo 1,18).

Primeiramente, a fé é um dom, uma graça (Mt 16,17); constitui também um assentimento da inteligência e da vontade. No entanto, podemos perder a fé. Por isso, Paulo nos convida a combater o bom combate (1Tm 1,18-19). Aqui na terra caminhamos na fé, não ainda na visão (1Cor 13,12). Sucede, não poucas vezes, que os cristãos sintam maior preocupação com as consequências sociais, culturais e políticas da fé do que com a própria fé. De fato, grandes são os desafios com os quais a sociedade moderna interpela aquele que crê. Inúmeras situações convidam o cristão a viver uma descrença existencial, um tradicionalismo religioso que leva à apatia e à indiferença. Em nossos dias, mais que no passado, a fé vê-se sujeita a uma série de interrogativos, que provêm de uma diversa mentalidade que, hoje de uma forma particular, reduz o âmbito das certezas racionais ao das conquistas científicas e tecnológicas.

Devemos readquirir o gosto de nos alimentarmos da Palavra de Deus, transmitida fielmente pela Igreja, e do Pão da vida, oferecido como sustento de quantos são seus discípulos (Jo 6,51). Paulo lembra que a fé nasce da pregação da Palavra (Rm 10,17). A Deus, que se revela, é devida a *obediência da fé* (Rm 1,5). "Toda a história da salvação nos mostra progressivamente a ligação íntima entre a Palavra de Deus e a fé, que se realiza no encontro com Cristo. De fato, com Ele a fé toma a forma de encontro com a Pessoa à qual se confia a própria vida[1]."

Crer é uma atitude de acolhimento do Pai e de seu Filho, que Ele enviou (Jo 6,29), e essa atitude de fé impulsiona a vida daquele que crê (2Cor 5,14). Jesus anuncia de diferentes modos e em diversas situações a importância desse acolhimento: "De tal modo Deus amou o mundo que lhe deu seu Filho único, para que todo o que nele crer não pereça, mas tenha vida eterna" (Jo 3,16). – "O Pai que me enviou, Ele mesmo deu testemunho de mim. Vós nunca ouvistes sua voz, pois não credes naquele que ele enviou" (Jo 5,37). Jesus também exige total confiança nele: É preciso não olhar para trás (Lc 9,62). – "Quem não está comigo está contra mim, quem não recolhe comigo espalha" (Lc 11,23). Crer em Jesus é certeza de vida eterna (Jo 11,25). O batismo e a remissão dos pecados incorporam o fiel a Cristo (At 2,37-38).

A renovação da Igreja realiza-se também por meio do testemunho prestado pela vida dos crentes[2]. O Ano da Fé é convite para uma autêntica e renovada conversão ao Senhor, único Salvador do mundo. O Ano da Fé nos convidou não só a intensificar a reflexão sobre os conteúdos da fé, mas também a ajudar todos os que acreditam em Cristo a tornar mais consciente e vigorosa sua adesão ao Evangelho.

---
[1] *Porta Fidei*, n. 25.
[2] *Carta Apostólica Porta Fidei*, n. 86.

17. A PORTA DA FÉ

O Catecismo da Igreja Católica lembra grandes testemunhas da fé. Pela fé, Maria acolheu a palavra do Anjo e acreditou no anúncio de que seria Mãe de Deus na obediência de sua dedicação (Lc 1,38). Pela fé, os Apóstolos deixaram tudo para seguir o Mestre (Mc 10,28). Pela fé, os discípulos formaram a primeira comunidade reunida à volta do ensino dos Apóstolos, na oração, na celebração da Eucaristia. Pela fé, os mártires deram sua vida para testemunhar a verdade do Evangelho que os transformara, tornando-os capazes de chegar até ao dom maior do amor com o perdão de seus próprios perseguidores. Pela fé, homens e mulheres consagraram sua vida a Cristo, deixando tudo para viver em simplicidade evangélica a obediência, a pobreza e a castidade. Pela fé, no decurso dos séculos, homens e mulheres de todas as idades, cujo nome está escrito no Livro da vida (Ap 7,9; 13,8), confessaram a beleza de seguir o Senhor Jesus nos lugares onde eram chamados a dar testemunho de seu ser cristão[3].

O autor da Carta aos Hebreus enumera os heróis do Antigo Testamento (Hb 11). Foi pela fé que Abraão, nosso pai na fé, deixou sua cidade natal para ir em busca de uma terra que o Senhor lhe haveria de dar (Hb 11,8). A fé exige sair de si mesmo, abandonar as seguranças humanas, *abrir a guarda,* sair do conforto e das situações cômodas que a sociedade de consumo oferece, para colocar-se inteiramente nas mãos de Deus. Não há encontro com Deus enquanto se está preocupado consigo mesmo, com seu mundo de sonhos.

Mesmo não tendo filhos e sendo sua mulher Sara estéril, Abraão acreditou: "Farei de ti uma grande nação: eu te abençoarei e exaltarei teu nome, e tu serás uma fonte de bênçãos [...]. Naquele dia, o Senhor fez aliança com Abrão: Eu te dou, disse, esta terra a teus descendentes, desde a torrente do Egito até o grande rio Eufrates [...] Voltarei a tua casa dentro de um ano, a esta época, e Sara, tua mulher, terá um filho" (Gn 12,2; 15,18; 18,10). É preciso acreditar sempre, mesmo quando não vemos a realização da promessa: "Felizes os que creem sem ter visto" (Jo 20,29). "Agora vemos como em um espelho, confusamente, então o veremos face a face" (1Cor 13,12). A fé reflete na vida o que vemos com o coração.

Nascido Isaac, sua descendência estava garantida. Deus, porém, pede-lhe um passo a mais no caminho de fé: "Depois disso, Deus pro-

---
[3] *Catecismo*, n. 144-150.

vou Abraão e disse-lhe: Toma teu filho, teu único filho, a quem tanto amas, Isaac, e vai à terra de Moriá, onde tu o oferecerás em holocausto sobre um dos montes que eu te indicar" (Gn 22,1-2). É preciso oferecer o que temos de mais profundo: nossa vida. É preciso *sacrificar as certezas aparentes* para abraçar a única certeza capaz de dar sentido a nossa existência; a Providência Divina. "A fé é o fundamento da esperança, uma certeza a respeito do que não se vê. Foi ela que fez a glória de nossos antepassados" (Hb 11,1-2).

Vivemos em uma sociedade pós-industrial, pós-histórica, pós-moderna, consumista e globalizada, em que quase não há mais agenda para a luta pelos interesses coletivos. Pelo contrário, exalta-se cada vez mais a primazia dos interesses privados: do indivíduo, de sua tribo, de seu gueto, de sua confraria. A palavra de ordem da sociedade de consumo é "conforto". O conforto é uma das grandes ambições do ser humano, um verdadeiro lema de vida. A busca até mesmo por um lugar confortável ao lado de Deus, associando a Providência Divina a uma proteção mágica. Frequentemente, não vemos mais aquele brilho nos olhos de nossa juventude nem a consciência da realidade, vitalidade e luta, que marcou toda uma geração passada. Nossos sonhos, por vezes, não passam de devaneios.

Em tantos lugares nos deparamos com uma Igreja que perdeu o foco da missão e transformação. É preciso ter a coragem de sair. O Concílio Vaticano II projetou uma Igreja presente no mundo, encarnada e aberta para o diálogo. Uma Igreja engajada é aquela que se faz presente no mundo a fim de transformá-lo. Uma Igreja com um coração ardente, cheio de misericórdia e compaixão para com os feridos. Jesus andava por toda a parte, curando e ministrando a palavra, cumprindo o ministério que a Ele fora designado pelo Pai.

Compaixão é diferente de dó. Dó é um sentimento menor, próprio daquele que se mantém distante do outro e que, diante da dor humana, se esconde no desamor da omissão. A Compaixão, ao contrário, significa padecer junto, sofrer junto, sentir a mesma paixão, colocar-se a serviço do irmão, partilhar a dor, o momento existencial em que o outro se encontra. Deus não precisa de sacrifícios e oferendas, mas de nosso amor: "Misericórdia quero, não sacrifício, o conhecimento de Deus mais do que os holocaustos" (Os 6,6).

17. A porta da fé

Creio

Creio em um só Deus, Pai todo-poderoso,
Criador do Céu e da Terra,
de todas as coisas visíveis e invisíveis.
Creio em um só Senhor, Jesus Cristo,
Filho Unigênito de Deus,
nascido do Pai antes de todos os séculos:
Deus de Deus, luz da luz,
Deus verdadeiro de Deus verdadeiro;
gerado, não criado, consubstancial ao Pai.
Por Ele todas as coisas foram feitas.
E por nós, homens, e para nossa salvação
desceu dos Céus.
E se encarnou pelo Espírito Santo,
no seio da Virgem Maria,
e se fez homem.
Também por nós foi crucificado sob Pôncio Pilatos;
padeceu e foi sepultado.
Ressuscitou ao terceiro dia,
conforme as Escrituras;
e subiu aos Céus, onde está sentado à direita do Pai.
De novo há de vir em sua glória
para julgar os vivos e os mortos;
e o seu Reino não terá fim.
Creio no Espírito Santo, Senhor que dá a vida,
e procede do Pai e do Filho;
e com o Pai e o Filho é adorado e glorificado: Ele que falou pelos profetas.
Creio na Igreja una, santa, católica e apostólica.
Professo um só Batismo para a remissão dos pecados.
E espero a ressurreição dos mortos
e a vida do mundo que há de vir.
Amém.

18

A PORTA ESTREITA

"Senhor, é verdade que são poucos os que se salvam? Jesus respondeu: Fazei todo o esforço possível para entrar pela porta estreita. Porque eu vos digo que muitos desejarão entrar e não conseguirão." (Lc 13,23-4)

Jesus não responde diretamente à pergunta, isto é, não satisfaz a curiosidade acerca do número dos que se salvam. Coloca, mais uma vez, um critério para entrar no Reino de Deus, o de entrar pela porta estreita. Jesus não se refere à porta dos muros da cidade de Jerusalém, pela qual passavam as mercadorias ou os animais, porque facilitava a contagem das mercadorias e dos animais que adentravam na cidade.

Jesus refere-se à porta estreita do seguimento e do discipulado de sua pessoa, o caminho estreito da cruz, da renúncia ao comodismo consumista do mundo e das facilidades humanas, o caminho espaçoso procurado por todos aqueles que vivem sem compromisso com a lógica da cruz, da justiça e do amor. "Estreita, porém, é a porta e apertado o caminho da vida e raros são aqueles que o encontram" (Mt 7,14).

A porta estreita é, sem dúvida, o instante em que nós nos encontramos, o momento presente, o único tempo que é realmente nosso. O passado já não nos pertence; o futuro ainda não está a nosso alcance. Somente temos o momento presente, a porta estreita que nos permite tomar apenas uma decisão por vez: a grande decisão de nossa vida. O hoje, o aqui e o agora definem o amanhã, o outro lugar e o depois. É preciso beber do cálice da vida em pequenos goles, para não nos embriagarmos na luxúria do consumo desvairado.

A porta estreita é o tempo da salvação. A Cruz de Cristo foi tão estreita que mal pôde suster o Corpo do Senhor. No entanto, passando por ela, nosso Salvador abriu-nos as portas da eterna mansão. Jesus buscou em toda a sua vida a estreiteza do amor que abraçou a todos, particularmente aqueles que a sociedade de então havia marginalizado. Quando colocamos alguém à margem de nossa vida, é porque já não merece nossa atenção. Descartamos as pessoas como nos desvencilhamos de tudo aquilo que nos impede de realizar nossos projetos, que não satisfaz nossa ambição de ter tudo sob nosso controle.

A porta estreita somente pode ser aberta com a chave do amor e só dá passagem a quem se entrega a serviço do amor. Era estreita a entrada da sepultura de Jesus; bastou uma pedra para fechar-lhe a passagem. A porta para a verdadeira vida é apertada como a dor, mas quem conseguir transpor aquele exíguo e, ao mesmo tempo, divino umbral encontrará os lençóis, envoltos no corpo de Jesus, colocados à parte, o sepulcro vazio, porque o Senhor ressuscitou. Cristo, nossa esperança, venceu a morte, abriu as portas estreitas do pecado e renovou a vida.

A porta é Cristo (Jo 10,7). Ele nos convida a atravessá-la e nos acolhe nos átrios da Jerusalém celeste, a Esposa do Cordeiro, que desce do céu, de junto de Deus, revestida da glória de Deus. Nela não haverá templo algum, porque o Senhor Deus é seu templo. A cidade que não necessita de sol nem de lua para iluminar, porque a glória de Deus a ilumina, sua luz é o Cordeiro (Ap 21,10.22-23). Aquele que nesta vida bateu à nossa porta e pediu para entrar quer sentar-se à mesa de nosso coração para oferecer-nos, em comida e bebida, seu Corpo e seu Sangue, primícias do banquete eterno à mesa de seu infinito Amor.

18. A PORTA ESTREITA

Salmo 3

Senhor, numerosos são meus opressores,
Numerosos os que se levantam contra mim,

Numerosos que dizem a meu respeito:
Onde está sua salvação em Deus?

Mas tu, Senhor, és o escudo que me protege,
Minha glória e o que me ergue a cabeça.

Em alta voz eu grito ao Senhor,
E ele me responde de seu monte santo.

Posso deitar-me, dormir e despertar,
Pois é o Senhor que me sustenta.

Não temo a multidão do povo
Que em cerco se coloca contra mim.
Levanta-te, Senhor! Salva-me, Deus meu.

19

A PORTA QUE SALVA

"Eu sou a porta das ovelhas: quem entrar por mim será salvo; poderá entrar e sair, e encontrará pastagem. O ladrão vem só para roubar, matar e destruir. Eu vim para que tenham vida, e a tenham em abundância." (Jo 10,7-10)

Jesus nos convida a *passar por Ele*. O salmista pede em sua oração: "Abri-me a porta da justiça; entrarei para dar graças ao Senhor. É esta a porta do Senhor; os justos entrarão por ela" (Sl 118,19-20). Jesus é a porta da justiça de Deus; por Ele entramos para dar glórias a Deus por suas obras e por seu amor. Uma porta, por vezes estreita (Mt 7,13), como estreita foi a cruz pela qual passou para entrar em sua glória. Jesus é a "Porta Fidei", sempre aberta para acolher as ovelhas que entram e saem em busca de abrigo e segurança. Lá não existem lobos vorazes (Jo 10,12), os ladrões não entram para roubar (Jo 10,10). *Passar por Jesus* implica não olhar para trás, para aquilo que eventualmente se deva deixar, a fim de prontamente segui-lo (Lc 9,62). Esquecendo o que fica para trás, lançar-se para o que está à frente: Cristo (Fl 3,13-14).

Jesus é a Porta das ovelhas. É também o Bom Pastor, que chama as ovelhas pelo nome, que as conduz para fora, caminha à frente delas e elas escutam sua voz (Jo 10,3-4). O Senhor nos conhece intimamente, perscruta os segredos de nosso coração, chama-nos para o amor, conduz para fora da estagnação existencial e, a nossa frente, indica nova direção, pois Ele é também o Caminho, a Verdade e a Vida (Jo 14,6). As ovelhas ouvem a voz do pastor: De quem escutamos a voz? Do Bom Pastor ou de estranhos? Ouvir a voz e seguir é questão de discernimento.

Para reconhecer a voz do Bom Pastor é preciso *estar acostumado* a ouvi-lo com assiduidade. Maria Madalena viveu essa experiência, quando, sentada aos pés do Senhor, escutava-o atentamente (Lc 10,38-43). Na manhã da Ressureição, imediatamente ela o reconheceu: "Disse-lhe Jesus: Maria! Voltando-se, ela exclamou em hebraico: Rabôni, que quer dizer Mestre" (Jo 20,15-16). Às ovelhas cabe escutar a voz do Pastor, adesão e seguimento; ao Bom Pastor, conhecer e dar a vida.

Contudo, o Bom Pastor tem ainda outras ovelhas, que não são do aprisco; também elas precisam ouvir sua voz e segui-lo, a fim de que haja um só rebanho e um só Pastor (Jo 10,16). A salvação é dom universal; o amor de Deus não conhece fronteiras: "Eu vim para que tenham vida e a tenham em abundância" (Jo 10,10). O Bom Pastor respeita cada uma das ovelhas e as chama à solidariedade, à comunhão de vida entre si e com Ele.

No entanto, também *nossa porta* deve estar aberta para Cristo. O autor do livro do Apocalipse escreve: "Eis que estou à porta e bato; se alguém ouvir a minha voz e abrir a porta, eu entrarei em sua casa e tomaremos a refeição, eu com ele e ele comigo" (Ap 3,20). A porta de nosso coração está fechada por dentro; embora a graça de Deus atue em nós, o comando para abrir a porta é nosso. Deus respeita a liberdade, que Ele próprio concedeu a suas criaturas. Podemos, infelizmente, manter a porta trancada e não atender nem acolher o Senhor. Convidar alguém para tomar refeição em nossa casa é um gesto de reciprocidade. Sentar ao redor da mesma mesa implica comunhão de vida e de propósitos. Não partilhamos apenas os alimentos, mas também o que somos. Como para Jesus, nosso alimento será fazer a vontade do Pai.

19. A PORTA QUE SALVA

Oração

O Senhor é nossa fortaleza!
Sim, para sempre é seu amor!
Foi ele que nos fez e somos seus!
Sim, para sempre é seu amor!
A graça que nos dá é nossa vida!
Sim, para sempre é seu amor!
O Senhor é nossa esperança!
Sim, para sempre é seu amor!
O Senhor é nosso abrigo e segurança!
Sim, para sempre é seu amor!
O perdão que ele nos dá traz alegria!
Sim, para sempre é seu amor!
O Senhor é todo bem, toda bondade!
Sim, para sempre é seu amor!
O Senhor é mansidão e caridade!
Sim, para sempre é seu amor!
O Senhor é nossa fé, é a paz do coração!
Sim, para sempre é seu amor!
O Senhor é nossa vida e salvação!
Sim, para sempre é seu amor!

20

A TRANSFIGURAÇÃO

Tendo predito aos discípulos a própria morte, Jesus lhes mostra, na montanha sagrada, todo o seu esplendor. E com o testemunho da Lei e dos Profetas, simbolizados em Moisés e Elias, ensina-nos que, pela paixão e cruz, chegará à glória da ressurreição. (Prefácio do II domingo da quaresma)

Ao narrar *o poema da Criação,* o autor do livro do Gênesis repete insistentemente: *Deus viu que tudo era bom!* Após ter feito do barro o ser humano, tendo-lhe entregue todos os seres, *Deus viu que tudo era muito bom* (Gn 1,31). Só pode ser *muito bom* tudo o que emana do coração bondoso do Senhor. A Criação revela não somente o poder de Deus, mas também seu amor; porque é o puro Amor, Deus nos ama desde toda a eternidade, e esse Amor gera toda a obra da Criação e da Redenção.

O ser humano é criado à imagem e semelhança do Amor e do Poder de Deus (Gn 1,26). Essa *imagem e semelhança* fundamenta a verdadeira dignidade do homem (CIC, 356). *Somos da raça de Deus,* dirá Paulo aos atenienses (At 17,29). Viver segundo essa imagem e semelhança não é apenas um dever, mas também um motivo de glória, um preito de gratidão. Deus nos chama para o diálogo salvífico com Ele. Somos interlocutores de um destino que vai além desta vida terrena: Deus nos chama à comunhão eterna, a fazermos parte, em definitivo, da plenitude de sua vida. Somente o ser humano é capaz de conhecer e amar o Criador (GS 12,3). Só ele é chamado a compartilhar, pelo conhecimento e pelo amor, a vida de Deus.

A harmonia da Criação foi quebrada pelo pecado. Abusando da liberdade, o homem desobedeceu a Deus. A harmonia com a Criação está rompida. A morte entra na história da humanidade. A imagem e semelhança de Deus está desfigurada. O mal invade a obra da Criação. "Atraído por muitas solicitações, vê-se obrigado a escolher entre elas e a renunciar a algumas. Mais ainda, fraco e pecador, faz muitas vezes aquilo que não quer e não realiza o que desejaria fazer. Sofre assim em si mesmo a divisão, da qual tantas e tão graves discórdias se originam para a sociedade" (GS 10).

Na plenitude dos tempos, Deus enviou seu Filho, nascido de uma mulher (Gl 4,4), para libertar o ser humano e o mundo do pecado, reconduzindo-o a sua vocação inicial. Jesus Cristo é o caminho que nos conduz ao Pai. Ele mesmo é nossa via para *a casa do* Pai (Jo 14,1) e é também a via para cada pessoa. Por essa via que leva Cristo ao homem, por essa via na qual Cristo se une a cada pessoa, a Igreja não pode ser entravada por ninguém. Isso é exigência do bem temporal e do bem eterno do mesmo homem.

No mistério da Redenção, o ser humano é, como que, *recriado*. O profeta Isaías resume a desfiguração do Servo de Javé, a fim de que pudéssemos ser novamente configurados, segundo a imagem e semelhança do Criador: "Era desprezado, era a escória da humanidade, homem das dores experimentado nos sofrimentos; como aqueles diante dos quais se cobre o rosto, era amaldiçoado e não fazíamos caso dele. Em verdade, ele tomou sobre si nossas enfermidades e carregou nossos sofrimentos; nós o reputávamos como um castigado, ferido por Deus e humilhado" (Is 53,3-4).

São João Paulo II considera a identificação com Cristo como "a tarefa fundamental da Igreja de todos os tempos e, de modo particular, do nosso; é a tarefa de dirigir o olhar do homem e de endereçar a consciência e experiência de toda a humanidade para o mistério de Cristo, de ajudar todos os homens a ter familiaridade com a profundidade da Redenção que se verifica em Cristo Jesus[1]. Dessa forma somos *configurados a Cristo*. Paulo exorta:

---

[1] CARTA ENCÍCLICA. *O Redentor do homem*, n. 10.

20. A TRANSFIGURAÇÃO

"Não vos conformeis com este mundo, mas transformai-vos pela renovação de vosso espírito, a fim de que possais discernir qual é a vontade de Deus, o que é bom, o que lhe agrada e o que é perfeito" (Rm 12,2).

É exatamente essa *transfiguração* que a morte e ressurreição de Cristo realiza em cada ser humano, fazendo brilhar em sua face o rosto resplandecente de Jesus. Quando, em sua transfiguração, o Senhor manifestou sua glória, a voz do céu se fez ouvir: "Este é o meu Filho muito amado; ouvi-o" (Lc 9,35). Ouvir o Filho é deixar-se transfigurar por Ele. (1Cor 15,51). "Que pode haver de mais delicioso, de mais profundo, de melhor do que estar com Deus, conformar-se a Ele, encontrar-se na luz[2]?"

A experiência que o Senhor nos faz viver, em ocasiões particularmente significativas de celebração, de oração, de meditação bíblica, devemos fazê-la reviver em momentos de aridez ou de dificuldades extremas, que podem tornar-se prejudiciais à nossa fé. A transfiguração faz revelar-se no corpo da Igreja o que de modo admirável resplandece na Cabeça. A Igreja peregrina, unida intimamente a Cristo, como estão entre si os membros do corpo, caminha para sua transfiguração. Nós cremos que Jesus Cristo transformará nosso mísero corpo, tornando-o semelhante a seu corpo glorioso (Fl 3,21).

Oração

(Fl 2,6-11)

R.: Jesus Cristo é Senhor para a glória de Deus Pai!

Embora fosse de divina condição,
Cristo Jesus não se apegou ciosamente
A ser igual em natureza a Deus Pai.
Porém, esvaziou-se de sua glória
E assumiu a condição de um escravo,
Fazendo-se aos homens semelhante,
Até a morte humilhante numa cruz.

---
[2] Anastásio Sinaíta. *É bom estarmos aqui*, LH vol. IV, p. 1159.

Por isso Deus o exaltou sobremaneira.
E deu-lhe nome mais excelso e mais sublime,
E elevado muito acima de outro nome.
Para que perante o nome de Jesus
Se dobre reverente todo joelho,
Seja nos céus, seja na terra ou nos abismos.
E toda língua reconheça, confessando,
Para a glória de Deus Pai e seu louvor:
Na verdade Jesus Cristo é o Senhor.

R.: Jesus Cristo é Senhor para a glória de Deus Pai!

21

Antes que tu nascesses

"Será que Deus não merece todo o nosso amor? Ele nos amou desde toda a eternidade. *Assim Ele nos fala*, que fui eu o primeiro a amar. Tu ainda não estavas no mundo nem mesmo existias, e eu já te amava. Desde que sou Deus, eu te amo[1]." (Santo Afonso Maria de Ligório)

O amor de Deus nos gerou desde toda a eternidade. Somos expressão de seu infinito Amor. Antes mesmo que nossos pais decidissem por nossa existência, Deus nos amou e seu amor tornou-se vida. "Antes que no seio foste formado, eu já te havia consagrado e te havia designado profeta das nações" (Jr 1,5). Chamou-nos à vida e nos reservou uma missão: sermos os anunciadores de seu amor.

Como não confiar naquele que nos deu o dom da vida? Como não amar o Amor? Por mais numero-

---

[1] Santo Afonso Maria de Ligório. *Sobre o amor a Jesus Cristo*. Liturgia das Horas, vol. III, p. 1464.

sos que sejam nossos dias, serão insuficientes para agradecer ao Senhor: "Será que Deus não merece todo o nosso amor? Ele nos amou desde toda a eternidade. Lembra-te, ó homem – assim nos fala – que fui eu o primeiro a te amar. Tu ainda não estavas no mundo nem mesmo existias, e eu já te amava. Desde que sou Deus, eu te amei"[2]. *Obrigado, Senhor!*

Em sua viagem ao Brasil, por ocasião da Jornada Mundial da Juventude, na homilia da Missa celebrada no Santuário de Nossa Senhora Aparecida, no dia 24 de julho de 2013, Papa Francisco nos convidou a conservar a esperança. "Quantas dificuldades na vida de cada um, em nosso povo, em nossas comunidades! Mas, por maiores que possam parecer, Deus nunca deixa que sejamos submergidos. Diante do desânimo que poderia aparecer na vida, em quem trabalha na evangelização ou em quem se esforça por viver a fé como pai e mãe de família, quero dizer com força: Tenham sempre no coração esta certeza: Deus caminha a seu lado, nunca os deixa desamparados! Nunca percamos a esperança! Nunca deixemos que ela se apague em nossos corações! O *dragão*, o mal, faz-se presente em nossa história, mas ele não é o mais forte. Deus é o mais forte, e Deus é nossa esperança!"

Quem fundamenta nossa esperança é o Senhor ressuscitado pela força de seu Espírito. Continuou o Papa: "Sejamos luzeiros de esperança! Tenhamos uma visão positiva sobre a realidade. Encorajemos a generosidade que caracteriza os jovens, acompanhando-os no processo de se tornarem protagonistas da construção de um mundo melhor: eles são um motor potente para a Igreja e para a sociedade. Eles não precisam somente de coisas, precisam, sobretudo, que lhes sejam propostos aqueles valores imateriais, que são o coração espiritual de um povo, a memória de um povo".

Cristo nos adverte: "Não vos preocupeis por vossa vida, pelo que comereis, nem por vosso corpo, pelo que vestireis. A vida não é mais do que o alimento e o corpo não é mais do que as vestes? Olhai as aves do céu: não semeiam, nem recolhem nos celeiros, e vosso Pai Celeste as alimenta. Não valeis vós muito mais que elas?" [...] "Não vos preocupeis, pois, com o dia de amanhã: o dia de amanhã terá suas preocupações próprias. A cada dia basta seu cuidado" (Mt 6,25–26.34). A única preocupação realmente necessária é aquela de

---

[2] Santo Afonso de Ligório. *Liturgia das Horas*, vol. III, p. 1464.

21. Antes que tu nascesses

estarmos atentos ao menor dos seus apelos. Maria nos ensinou isso nas bodas de Caná: "Fazei o que Ele vos disser" (Jo 2,5). Ele quer que vivamos em seu amor.

Ao se despedir de seus discípulos, na noite de sua paixão, Jesus prometeu que não nos deixaria órfãos (Jo 14,18) e orou por nós ao Pai (Jo 17,9). O salmista insiste: "Posso deitar-me, dormir e despertar, pois é o Senhor que me sustenta" (Sl 3,6). O Senhor é luz, é salvação, é fortaleza (Sl 27,1). Quem se inclina sobre os próprios sofrimentos torna-os ainda mais graves. Quem, ao contrário, abandona-se a Deus mantém-se em equilíbrio. O pensamento das tribulações dos outros, por vezes maiores que as nossas, ajuda-nos a superar nossas dificuldades. "Lançai em Deus – recomenda o apóstolo Pedro – todas as vossas preocupações, porque Ele tem cuidado de vós" (1Pd 5,7).

A confiança deve sustentar o cristão na dor e nas dificuldades do dia a dia. A certeza de que o Senhor está conosco, qual poderoso guerreiro (Jr 20,11), leva-nos a assumir o sofrimento na perspectiva da redenção. "Como consequência da obra salvífica de Cristo, o homem passou a ter, durante sua existência na terra, a esperança da vida e da santidade eternas. E ainda que a vitória sobre o pecado e sobre a morte, alcançada por Cristo com sua Cruz e sua Ressurreição, não suprima os sofrimentos temporais da vida humana, nem isente do sofrimento toda a dimensão histórica da existência humana, ela projeta, no entanto, sobre essa dimensão e sobre todos os sofrimentos uma luz nova[3]."

"O Senhor vem salvar-nos", proclama Isaías na liturgia do tempo do Advento (Is 35,4). Bem-aventurado quem nele confia (Jr 17,7). Ainda que seja penoso constatar nossa fraqueza perante o pecado e a dor, é encorajador confiar na onipotência divina. Ao ensinar-nos o Pai-Nosso, Jesus revela o Pai providente, que tudo pode e deseja realizar em nós. "Põe tua confiança em Deus. Seja ele teu temor e teu amor. Ele responderá por ti e fará o que for melhor, do melhor modo possível[4]."

---

[3] João Paulo II. *Salvifici Doloris*, n. 15.
[4] *Imitação de Cristo*, Lib. 2.

Oração

Deus, pastor dos homens (Sl 22)

O Senhor é o pastor que me conduz,
não me falta coisa alguma.

Pelos prados e campinas verdejantes,
Ele me leva a descansar.

Para as águas repousantes me encaminha,
restaura as minhas forças.

Ele me guia no caminho mais seguro,
pela honra de seu nome.

Mesmo que eu passe pelo vale tenebroso,
nenhum mal eu temerei;

Estais comigo com bastão e com cajado,
eles me dão segurança!

Preparais a minha frente uma mesa,
bem à vista do inimigo.

Com óleo vós ungis minha cabeça:
meu cálice transborda.

Felicidade e todo bem hão de seguir-me
por toda a minha vida;

E na casa do Senhor habitarei
Pelos tempos infinitos.

Glória ao Pai, ao Filho, e ao Santo Espírito,
desde agora e para sempre, pelos séculos sem fim.

22

AS ÁGUAS MAIS PROFUNDAS

"Quando acabou de falar, Jesus disse a Simão: Avançai para as águas mais profundas e lançai vossas redes para a pesca. Simão respondeu: Mestre, nós trabalhamos a noite inteira e nada pescamos. Mas, em atenção a vossa palavra, vou lançar as redes. Assim fizeram e apanharam tamanha quantidade de peixes, que as redes se rompiam." (Lc 5,4-6)

As águas rasas são, sem dúvida, as mais tranquilas, mas não as mais indicadas para a pesca. Junto à praia tudo é muito cômodo. Não há necessidade de um esforço maior nem se põe em risco a própria vida. A praia é o lugar do conforto, não do confronto. Aí não existem tribulações, embates, superação. Tudo é rasteiro, simples, confortável; não se encontram peixes, mas também nada nos ameaça.

A pesca abundante encontra-se nas águas mais profundas, lá onde o fundo do mar é misterioso e pode esconder armadilhas letais. A busca de uma vida cristã mais coerente ameaça constantemente aqueles que preferem a comodidade à ousadia. A rotina nivela a vida por baixo. Preferimos o previsível, deixar as coisas como estão. Afinal, por que insistir, se o mar não está para pesca! É preciso calcular os riscos. Não é essa uma atitude sábia?

As águas mais profundas, ainda que desafiantes, são o lugar dos grandes encontros. Na profundidade da oração e do silêncio encontramos Deus. Na busca do amor maior, preparamos nosso coração para o verdadeiro amor fraterno, vencendo as antipatias, os pré-conceitos, e estabelecendo espaços de inclusão. No mistério mais profundo de nosso ser, deparamos com o que é realmente importante em nossa vida, deixando de lado as mesquinharias que nos impedem de ser cristãos adultos, até que tenhamos alcançado a medida da estatura de Cristo (Ef 5,13).

Avançar para o alto-mar exige de nós uma confiança inabalável no Senhor: "Mestre, trabalhamos a noite inteira e nada apanhamos; mas, por causa da tua palavra, lançarei a rede" (Lc 5,5). Jesus nos convida a depositar nossa confiança inteiramente no Pai: Olhai as aves do céu, os lírios do campo, pois o Pai celeste sabe do que nós precisamos (Mt 6,25-34). Navegar em águas mais profundas é lançar-se no amor de Deus, no mais íntimo de seu coração, para ali encontrar as verdadeiras razões do que somos e daquilo que fazemos. "O Espírito Santo nos revela Jesus, para podermos conhecer e experimentar a relação de Jesus com seu Pai e nos tornar livres para viver no braço do Pai em Jesus[1]."

Buscar as águas mais profundas é *amar mais (*Jo 21,15). Somente na oração o ser humano descobre sua plena dignidade, na qual ele é chamado a estar diante de Deus e a tornar-se um com Ele. "A oração é, portanto, caminho que conduz à morada do tesouro interior, ao espaço em nós, no qual Deus mesmo habita. Toda a riqueza que pudermos adquirir está dentro de nós. Por meio do silêncio e da oração, devemos voltar-nos para nosso interior e penetrar nesse lugar, no qual descobrimos, com Deus, toda a riqueza de nossa vida, o tesouro escondido no campo e a pérola preciosa, pelos quais vale a pena vender tudo o mais[2]."

As águas profundas guardam segredos de morte e de vida. Lá onde tudo parece terminar, onde não existe mais horizonte para sonhar, onde a luz não vence a escuridão, na verdade ali tudo começa.

---

[1] BAXTER E KRUGER, PH. D. *De volta à cabana.* Rio de Janeiro: Sextante, 2011, p. 71.
[2] ANSELM GRÜN. *A oração como encontro.* Petrópolis: Vozes, 2001, p. 73.

22. As águas mais profundas

Quando tivermos apalpado o mistério de Deus, conduzidos pela luz da fé, tudo se transformará em luz e, como os apóstolos no monte santo, diremos: "Mestre, é bom ficarmos aqui" (Lc 9,33). No entanto, após a pesca milagrosa é preciso continuar o caminho, porque o Senhor nos chama para sermos pescadores de homens (Lc 5,10).

Oração pelas vocações

Senhor da messe
e pastor do rebanho,
faz ressoar em nossos ouvidos
teu forte e suave convite:
"Vem e segue-me"!
Derrama sobre nós o teu Espírito,
que Ele nos dê sabedoria
para ver o caminho
e generosidade
para seguir a tua voz.

Senhor,
que a messe não se perca
por falta de operários.
Desperta nossas comunidades
para a missão.
Ensina a nossa vida
ser serviço.
Fortalece os que querem
dedicar-se ao Reino,
na vida consagrada e religiosa.

Senhor,
que o rebanho
não pereça por falta de pastores.
Sustenta a fidelidade
de nossos bispos,
padres e ministros.

Dá perseverança
a nossos seminaristas.
Desperta o coração
de nossos jovens
para o ministério pastoral
em tua Igreja.

Senhor da messe
e pastor do rebanho,
chama-nos para o serviço
de teu povo.
Maria, Mãe da Igreja,
modelo dos servidores do Evangelho,
ajuda-nos a responder "sim".
Amém.

23

Confiança em Deus

"Bendito o homem que confia no Senhor, cuja esperança é o Senhor; é como a árvore plantada junto às águas, que estende suas raízes em busca de umidade, por isso, não teme a chegada do calor; sua folhagem mantém-se verde, não sofre míngua em tempo de seca e nunca deixa de dar frutos." (Jr 17,7-8)

Confiar é uma atitude que brota do amor. Ninguém estabelece uma relação de confiança com pessoa absolutamente desconhecida, fora do círculo de sua amizade. No entanto, Deus não é um estranho; pelo contrário, Ele não está perto de nós, mas vive em nós, é a razão última de nossa vida, preenche nosso coração, mora em nós. É nosso hóspede e, simultaneamente, é Ele que nos hospeda. "Em Deus confio, jamais temerei! Que poderia fazer-me o homem" (Sl 56,12)? É Ele quem dá de seu pão ao fraco (Pr 22,8). Nele está nossa confiança (Hb 2,13). O ato de confiança torna-se motivo de louvor, de gratidão (Sl 49,4). O temor se transforma numa total entrega (Sl 56,4).

Jesus nos convida a depositar no Pai Celeste toda a confiança. Não cuidará de nós aquele que tudo provê a todos os seres por Ele criados? Quem confia em Deus não será nunca decepcionado (Ecl 32,24). Tudo sairá bem (Pr 16,3). "Por isso, eu vos digo: não vos preocupeis com a vossa vida quanto ao que haveis de comer, nem com vosso corpo quanto ao que haveis de vestir. Não é a vida mais do que o alimento e o corpo mais do que a roupa? Olhai as aves do céu, não semeiam, nem colhem, nem ajuntam em celeiros. E, no entanto, vosso Pai Celeste as alimenta. Ora, vós não valeis mais do que elas? Quem dentre vós, com suas preocupações, pode acrescentar um só côvado à duração de sua vida" (Mt 6,25-27)?

O apóstolo João experimentou de um modo único o amor de Cristo. Passou a noite com Ele, em sua casa, participou dos momentos mais íntimos da revelação do Filho de Deus, reclinou sua cabeça em seu peito na última ceia e acolheu Maria, como mãe, aos pés da cruz; é, por excelência, a testemunha do amor de Deus para com seus filhos. "Agora, pois, filhinhos, permanecei nele, para que, quando ele se manifestar, tenhamos plena confiança e não sejamos confundidos, por estarmos longe dele, em sua vinda" (1Jo 2,28). "Esta é a confiança que temos em Deus: se lhe pedimos alguma coisa segundo sua vontade, Ele nos ouve" (1Jo 5,14). Sem Ele nada poderemos (Jo 15,5). Somente Ele venceu o mundo (Jo 16,33).

A experiência de Paulo é igualmente profunda. Ele provou na própria vida o imenso amor de Deus, que o lapidou como uma pedra preciosa para transformá-lo no apóstolo das nações. Depois de enfrentar perigos: "Sei em quem pus minha confiança e estou certo de que Ele é poderoso para guardar o meu depósito até este dia" (2 Tm 1,12). Aos cristãos de Roma, Paulo manifesta sua total entrega a Deus: "Eu estou certo de que nem a morte, nem a vida, nem os anjos, nem a força, nem a altura, nem a profundidade, nem outra criatura nos poderá separar do amor de Deus, que está em Jesus Cristo Nosso Senhor" (Rm 8,38).

A confiança consiste em esperar a ajuda de alguém. Não se reduz a uma virtude isolada, mas é condição necessária da virtude da esperança, bem como parte constituinte da virtude da fortaleza e da magnanimidade. Visto que a confiança decorre da fé, ela intensifica a esperança e o amor. A falta de confiança impede que Deus nos proporcione benefícios, é como uma nuvem escura que estanca a ação dos raios solares, como um dique que impossibilita o acesso à água da fonte.

23. Confiança em Deus

Quem deposita sua confiança em Deus jamais sofrerá decepção. O amor envolve quem confia no Senhor (Sl 31,10).

Por que Deus recomenda tanto a confiança? Porque ela é uma homenagem prestada à Misericórdia Divina. Quem espera a ajuda de Deus confessa que Ele é poderoso, cheio de bondade, que tudo pode e quer nos demonstrar essa ajuda, que Ele é, sobretudo, misericordioso. "Ninguém é bom senão só Deus" (Mc 10,18). Devemos conhecer a Deus na verdade, visto que o falso conhecimento de Deus esfria nossa relação com Ele e estanca as graças de Sua misericórdia. *Tende confiança, não temais,* assegura Jesus (Mt 14,27).

Ao confiarmos em Deus, não podemos confiar demasiadamente em nós mesmos, em nossos talentos, em nossa prudência nem em nossa força, visto que então Deus nos negará Sua ajuda e permitirá que nos convençamos, por experiência própria, de nossa inaptidão. Por isso, confiando em Deus, não nos apoiamos apenas em recursos humanos, porque neste mundo as maiores forças e os maiores tesouros não nos ajudarão, se Deus não nos apoiar, não nos fortalecer, não nos consolar, não nos ensinar, não nos guardar. Nele devemos depositar nossos fardos (Mt 11,28).

A confiança em Deus deve ser firme e perseverante, sem hesitações nem fraquezas. Era essa a confiança que tinha Abraão quando tencionava entregar seu filho em sacrifício. Era essa a confiança que tinham os mártires. No entanto, aos Apóstolos, durante a tempestade, faltava essa virtude, e por isso Jesus Cristo os censurou: "Por que tendes medo, homens fracos na fé?" (Mt 8,26). A confiança deve estar unida com o temor, que é o efeito do conhecimento de nossa miséria. Sem esse temor, a confiança se transforma em arrogância, e o temor – sem a confiança –, em covardia.

A confiança em Deus afasta toda tristeza e depressão, e enche a alma de grande alegria, até nas mais difíceis condições de vida. A confiança opera milagres, porque conta com a onipotência de Deus, proporciona a paz interior, que o mundo não pode dar, abre o caminho a todas as virtudes. O mundo de hoje, que confia tanto em si mesmo, em sua sabedoria, em sua força e em suas invenções, em vez de se tornar feliz, desperta em si o temor da autodestruição.

Oração

Confiança em Deus no perigo (Sl 26)

**R.: O Senhor é minha luz e salvação,
De quem eu terei medo?**

O Senhor é a proteção de minha vida,
Perante quem eu tremerei?
Quando avançam os malvados contra mim,
Querendo devorar-me,
São eles, inimigos e opressores,
Que tropeçam e sucumbem.
Se os inimigos se acamparem contra mim,
Não temerá meu coração,
Se contra mim uma batalha estourar,
Mesmo assim confiarei.
Ao Senhor eu peço apenas uma coisa,
É só isto que eu desejo:
Habitar no santuário do Senhor,
Por toda a minha vida,
Saborear a suavidade do Senhor
E contemplá-lo em seu templo.
Pois um abrigo me dará sob seu teto
Nos dias da desgraça;
No interior de sua tenda há de esconder-me
E proteger-me sobre a rocha.
E agora minha fronte se levanta
Em meio aos inimigos.
Ofertarei um sacrifício de alegria,
No templo do Senhor.
Cantarei salmos de louvor ao som da harpa
E hinos de louvor.

24

DEUS CUIDA DE VOCÊ

"Vou enviar um anjo que vá a tua frente, que te guarde pelo caminho e te conduza ao lugar que te preparei. Respeita-o e ouve a sua voz." (Êx 23,20-21)

A Sagrada Escritura fala com frequência dos anjos. Anjos que anunciam os acontecimentos da salvação (Lc 1,26), acompanham as pessoas em suas viagens (Tb 6,1; Sl 90,11), curam enfermidades (Tb 11,7), protegem os pequeninos (Mt 18,10), libertam e consolam os prisioneiros (At 5,19; 27,23), anunciam a ressurreição do Senhor a Maria Madalena (Jo 29,11-13), cercam o trono de Deus e cantam seus louvores (Is 6,1-6; Sl 103,20; Sl 148,2), estão a serviço de Deus (Ap 10,1ss). O autor do Apocalipse chama de anjos os que são responsáveis pelas Igrejas de Éfeso, Esmirna, Pérgamo, Tiatira, Sardes, Filadélfia e Laodiceia (Ap 2–3).

O anjo é, pois, um mensageiro, um membro da corte celeste. Nem sempre se faz distinção entre o anjo como ser pessoal e como personificação da palavra divina ou de sua ação. "A palavra anjo, afirma Papa Gregório Magno, indica o ofício, não a natureza. Pois estes santos espíritos da pátria celeste são sempre espíritos, mas nem sempre podem ser chamados anjos, porque somente são anjos quando por eles é feito algum anúncio. Aqueles que anunciam fatos menores são chamados anjos; os que levam as maiores notícias, arcanjos"[1].

O anjo é um enviado de Deus para falar em seu nome ou em seu nome realizar as maravilhas da salvação. Eles não são um deus. Com frequência, o anjo é apresentado em forma humana, a fim de que se possa perceber melhor sua ação junto a nós. No Evangelho de Mateus, Jesus diz a seus discípulos: "Cuidado para não desprezar um desses pequeninos, porque eu vos digo que seus Anjos estão continuamente no céu, na presença de meu Pai celeste" (Mt 18,10). Se os anjos veem a face de Deus, ao serem enviados até nós, não só nos ajudam a ver a divina face, mas também zelam para que esta face seja impressa em nós; fomos criados à imagem e semelhança de Deus (Gn 1,26).

Os pequeninos a quem Deus se revela, mediante a missão de seus anjos, são não somente as crianças, mas também as pessoas desconhecidas, pouco importantes e simples na comunidade cristã. São aqueles que fraquejam na fé por causa dos escândalos (Lc 17,2). Esses precisam, antes de tudo, de nosso *cuidado*. O termo *cuidar* representa bem o amor de Deus para conosco. O Pai celeste cuida de todos nós, sabe do que temos necessidade (Mt 6,31-32).

O Anjo da Guarda é uma expressão da providência divina. A ideia do Anjo da Guarda é tão amplamente difundida que pode ser encontrada nas diferentes culturas, mesmo fora da revelação bíblica. Os gregos chamavam-no *daimon*, os romanos, *genius*. Para os Padres da Igreja, os anjos participam na geração do ser humano (Orígenes, Tertuliano, Clemente de Alexandria).

A visão teológica de uma proteção divina particularizada faz surgir a concepção de um anjo da guarda pessoal, que acompanha cada ser humano desde sua concepção até sua morte. Toda pessoa está sob a especial proteção de Deus, que lhe envia um mensageiro especial. A piedade popular se encarrega de reproduzir figurativamente essa proteção: *Santo anjo do Senhor, meu zeloso guardador, já que a ti me confiou a piedade divina, sempre me rege, guarda, governa e ilumina*. Por meio do Anjo da Guarda, cada um atinge a esfera divina, sem ficar limitado ao que pode ser visto, ao que pode ser feito. Está envolvido por um mistério.

---

[1] Cf. *Homilias sobre os Evangelhos*. Liturgia das Horas, vol. IV, p. 1318.

24. Deus cuida de você

"A fé no Anjo da Guarda pessoal, comenta Anselm Grün, é mais do que a ideia de um Anjo bonitinho que me acompanha por toda parte. Como adultos, quando acreditarmos em nosso Anjo da Guarda, superaremos não apenas nossos medos diante dos perigos do dia a dia, na rua e no trabalho, ou diante das doenças graves. O Anjo da Guarda há de transmitir-nos também a sensação de que atravessamos reconfortados nossas crises pessoais"[2].

No catolicismo popular, a figura do *anjo da guarda* está profundamente relacionada à certeza da proteção divina. São Bernardo enfatiza: "Assim, irmãos, amemos com ternura os anjos como futuros coerdeiros nossos, enquanto esperamos nossos intendentes e tutores dados pelo Pai, como nossos guias. Porque agora somos filhos de Deus, embora não se veja, pois ainda estamos sob tutela, como meninos que em nada diferem dos servos. Alias, mesmo assim tão pequeninos, e restando-nos ainda uma tão longa, não só tão longa, mas ainda tão perigosa caminhada, que temos a temer com tão poderosos protetores"[3]? A fé de que um Anjo da Guarda preserva a criança dos perigos, no entanto, deve andar de mãos dadas com as medidas de segurança.

Oração

Sl 90

**R.: O Senhor deu uma ordem aos seus anjos,
para em todos os caminhos te guardarem.**

Quem habita o abrigo do Altíssimo,
E vive à sombra do Senhor onipotente,
Diz ao Senhor: sois meu refúgio e proteção,
Sois meu Deus no qual confio inteiramente.

Do caçador e de seu laço ele te livra.
Ele te salva da palavra que destrói.
Com suas asas haverá de proteger-te,
Com seu escudo e suas armas, defender-te.

---
[2] Cf. *Cada pessoa tem um anjo*. Petrópolis: Vozes, 2000, p. 23.
[3] Cf. *Sermões – Eles te guardem em todos os teus caminhos*. Liturgia das Horas, vol. IV, p. 1336.

Não temerás terror algum durante a noite,
Nem a flecha disparada em pleno dia;
Nem a peste que caminha pelo escuro,
Nem a desgraça que devasta ao meio-dia.

Nenhum mal há de chegar perto de ti,
Nem a desgraça baterá a tua porta,
Pois o Senhor deu uma ordem a seus anjos
Para em todos os caminhos te guardarem.

25

Eles estão em paz!

"A vida dos justos está nas mãos de Deus e nenhum tormento os atingirá." (Sb 3,1)

A comemoração dos falecidos, no dia 2 de novembro, teve origem no mosteiro beneditino de Cluny, desde o início do século XI. Papa Bento XV, no tempo da Primeira Guerra Mundial, concedeu a todos os presbíteros a faculdade de celebrar três Missas nesse dia. A Igreja celebra com fé o mistério pascal na firme esperança de que os que se tornaram pelo batismo membros de Cristo, morto e ressuscitado, passem com Ele através da morte à vida. Afirma o Concílio: "A Igreja, peregrina na terra, desde o início do cristianismo, reconhecendo a comunhão que une todo o Corpo Místico de Cristo, prestou piedosa homenagem aos mortos e por eles oferecia sufrágios, convencida de que é santo e piedoso rezar pelos defuntos, para que sejam libertados do pecado" *(LG 50)*.

Após a celebração da festa de Todos os Santos, unimo-nos para lembrar nossos irmãos que já partiram desta vida e que passam pela purificação, para com eles celebrar a Comunhão dos Santos, isto é, dos que vivem em Cristo. Nós, que ainda peregrinamos por esta vida (Igreja militante), nossos irmãos que se purificam para entrar no pleno gozo do Senhor (Igreja padecente) e os que já foram glorificados (Igreja triunfante), somos todos membros do Corpo Místico de Cristo e formamos a comunidade dos filhos de Deus, a Igreja de Jesus Cristo (LG 49).

O dia de Fiéis defuntos não é dia de luto e tristeza. É dia de mais íntima comunhão com aqueles que nos antecederam, certos de que *ninguém vive para si mesmo ou morre para si mesmo. Se vivemos, é para o Senhor que vivemos; se morremos, é para o Senhor que morremos* (Rm 14,7-8). É dia de esperança, porque sabemos que nossos irmãos ressurgirão em Cristo para uma vida nova, uma vez que *é preciso que este corpo corruptível se revista da incorruptibilidade* (1Cor 15,53). É, sobretudo, dia de oração. A oração pelos defuntos faz parte da tradição da Igreja, *pois nosso Redentor está vivo; destruída a carne mortal, veremos a Deus* (Jó 19,25-26). No Sacrifício da Missa, com efeito, o Sangue de Cristo lavará as culpas e alcançará a misericórdia de Deus para nossos irmãos que adormeceram na paz com Ele.

Embora a certeza da ressurreição nos encha de esperança, *pois se morremos com Cristo, cremos também que viveremos com Ele* (Rm 6,8), a dramaticidade da morte sempre nos afligirá. A morte do cristão é um momento, não o fim de seu caminho. A vida terrena é preparação para a vida eterna. Ao morrer, o ser humano se encontrará diante de tudo o que constituiu o objeto de suas aspirações mais profundas; encontrar-se-á diante de Cristo e será sua opção definitiva, construída por todas as opções parciais desta terra. Nessa peregrinação para a vida plena, o amor do Pai nos salva e, redimidos pela morte de seu Filho, participamos de sua ressurreição. *Ele é a salvação do mundo, Ele é a vida dos homens e das mulheres, Ele é a ressurreição dos mortos* (*Prefácio dos fiéis defuntos III*).

No entanto, o próprio Jesus, diante do túmulo do amigo Lázaro, estremece em seu íntimo e chora (Jo 11,33-35). Na véspera de sua morte sentiu a tristeza, o medo, a angústia e a solidão (Mc 14,33-34; Lc 22,44). No alto da cruz experimentou o abandono (Mc 15,34). A morte foi vencida, mas na esperança (Rm 8,24). Pela morte alcançamos a plenitude da humanidade, criada para viver por todo o sempre no Senhor. No novo céu e nova terra, quando este céu e esta terra passarem, o

25. Eles estão em paz!

próprio Deus enxugará toda a lágrima de nossos olhos, e a morte não existirá mais (Ap 21,1-4). "No fim do mundo, Jesus voltará vitorioso: no seu Reino ninguém mais vai sofrer, ninguém mais vai chorar, ninguém mais vai ficar triste" (Oração Eucarística com crianças III).

A vida dos justos está nas mãos de Deus, mãos que se deixaram traspassar na cruz para que ficassem sempre abertas para acolher a humanidade. A cada um de nós, que retorna da viagem pela vida terrena quais filhos pródigos, o Pai nos acolhe em seu abraço de perdão, para nos devolver a veste branca da pureza original, o anel da dignidade perdida, o calçado do senhorio. "É diante da morte que o enigma da condição humana atinge seu ponto mais alto. Em certo sentido, a morte corporal é natural; mas, para a fé na realidade, *salário do pecado (Rm 6,23). E, para os que morrem na graça de Cristo, é uma participação na morte do Senhor, a fim de poder participar também de sua ressurreição*"[1].

Oração

Prefácio dos defuntos I

Nele brilhou para nós
a esperança da feliz ressurreição.
E, aos que a certeza da morte entristece,
a promessa da imortalidade consola.
Senhor, para os que creem em vós,
a vida não é tirada, mas transformada.
E, desfeito nosso corpo mortal,
é-nos dado, nos céus, um corpo imperecível.

---

[1] *Catecismo da Igreja Católica*, n. 1006.

26

Encontro com Deus

"Cristo, portanto, é o caminho escolhido por Deus para vir a nosso encontro. É Deus traduzido na condição humana, não só por aquilo que disse, mas ainda mais por aquilo que fez e por aquilo que Ele é[1]." (Mariano Magrassi)

Em meio ao assédio da mídia e às preocupações de cada dia, o ser humano sente, por vezes, a sensação de estar só, vivendo um vazio existencial e uma falsa segurança dos bens materiais. A vida perde sentido, em que o *fazer o bem* não mais encanta as pessoas e, por conseguinte, não enobrece os corações. A *ausência de Deus* abala os fundamentos da fé, desestimula a esperança e enfraquece a caridade.

Somente Deus dá sentido a todo o nosso existir. Sua palavra está a nosso alcance, em nosso coração (Dt 30,14). Santo Agostinho fez a experiência de buscar a

---

[1] MARIANO MAGRASSI. *Cativados por Cristo*. São Paulo: Paulinas, 1984, p. 35.

Deus. "Tarde te amei, ó beleza tão antiga e tão nova, tarde te amei! Eis que estavas dentro, e eu fora. E aí te procurava e lançava-me nada belo ante a beleza que tu criaste. Estavas comigo e eu não contigo. Seguravam-me longe de ti as coisas que não existiriam, se não existissem em ti. Chamaste, clamaste e rompeste minha surdez, brilhaste, resplandeceste e afugentaste minha cegueira. Exalaste perfume e respirei. Agora anelo por ti. Provei-te, e tenho fome e sede. Tocaste-me, e ardi por tua paz[2]."

A certeza da presença de Deus em nós constitui o fundamento da fé, o vigor da esperança e o ardor da caridade. Fomos salvos na esperança (Rm 8,24). Por isso, devemos estar prontos para dar o sentido e a razão de nossa esperança cristã (1Pd 3,15). O Evangelho de Jesus Cristo não se resume a uma comunicação de realidades que se podem saber, mas a uma comunicação que gera fatos e muda a vida[3]. A vida não é um simples produto das leis e da casualidade da matéria, mas em tudo e acima de tudo há uma vontade pessoal, um Espírito que em Jesus se revelou como Amor[4].

O evangelho de João narra um encontro inesquecível dos primeiros discípulos com Jesus: "No dia seguinte, João estava lá, de novo, com dois de seus discípulos. Vendo Jesus caminhando, disse: *Eis o Cordeiro de Deus!* Os dois discípulos ouviram essa declaração de João e passaram a seguir Jesus. Jesus voltou-se para trás e, vendo que eles o seguiam, perguntou-lhes: *Que procurais?* Eles responderam: *Rabi (que quer dizer Mestre), onde moras?* Ele respondeu: *Vinde e vede!* Foram, viram onde Ele morava e permaneceram com Ele aquele dia. Era por volta de quatro horas da tarde. André, irmão de Simão Pedro, era um dos dois que tinham ouvido a declaração de João e seguido Jesus. Ele encontrou primeiro o próprio irmão, Simão, e lhe falou: *Encontramos o Cristo!* Então o conduziu até Jesus, que lhe disse, olhando para ele: *Tu és Simão, filho de João, Tu te chamarás Cefas, que quer dizer Pedro*" (Jo 1,35-42).

O conhecimento existencial de Jesus Cristo, nosso Mestre, exige um permanente processo de busca. É preciso percorrer um **caminho espiritual**, que abrange várias etapas e que se repete cada vez que desejamos conhecer Jesus com maior profundidade. Sempre que reiniciamos esse processo, temos a alegre e sempre nova certeza de que estamos apenas começando e que as etapas a serem percorridas são absolutamente novas, porque Jesus é a **eterna Novidade**. Por mais que o conheçamos, estaremos sempre no início como os dois discípulos de João Batista. Quando

---
[2] *Confissões*. Liturgia das Horas, vol. IV, p. 1235.
[3] Bento XVI. *Sobre a esperança cristã*, n. 2.
[4] *Catecismo da Igreja Católica*, n. 1817-1821.

26. Encontro com Deus

Ele estiver sentado no trono e tiver renovado todas as coisas (Ap 21,5), também nós, renovados pelo Seu Espírito, diremos: *Encontramos o Cristo!* Essa descoberta passa por diversas etapas. Em primeiro lugar, é preciso **procurar o Senhor**: "Pedi, e vos será dado. Procurai e encontrareis. Batei, e a porta vos será aberta. Pois todo aquele que pede recebe, quem procura encontra e a quem bate à porta será aberta" (Mt 7,7-8). Jesus adverte: "Buscai em primeiro lugar o Reino de Deus e a sua justiça, e todas as outras coisas vos serão dadas em acréscimo" (Mt 6,33). E ainda: "Aspirai aos dons superiores. E agora, ainda vou indicar-vos o caminho mais excelente de todos" (1Cor 12,31). Lucas conta que Zaqueu procurava ver quem era Jesus, mas não o conseguia por causa da multidão, porque era de baixa estatura (Lc 19,3). É preciso buscá-lo, sem outro interesse senão o desejo sincero de tornar-se discípulo: "Respondeu-lhes Jesus: Em verdade, em verdade vos digo: buscais-me, não porque vistes os milagres, mas porque comestes dos pães e ficastes fartos" (Jo 6,26).

Em seguida, tendo-o encontrado, **deixar-se encantar por ele**. O encantamento é fruto da gratuidade do verdadeiro amor e dá origem ao *compromisso missionário*. É impossível guardar a descoberta somente para si: "André, irmão de Simão Pedro, era um dos dois que tinham ouvido João, e que o tinham seguido. Foi ele então logo à procura de seu irmão e disse-lhe: *Achamos o Messias (que quer dizer o Cristo)*. Levou-o a Jesus, e Jesus, fixando nele o olhar, disse: Tu és Simão, filho de João; serás chamado *Cefas (que quer dizer pedra)*. No dia seguinte, ele decidiu partir para a Galileia e encontrou Felipe. Jesus disse a Felipe: Segue-me! Felipe era de Betsaida, a cidade de André e Pedro. Felipe encontrou-se com Natanael e disse-lhe: Encontramos Jesus, o filho de José, de Nazaré, aquele sobre quem escreveram Moisés, na lei, bem como os profetas" (Jo 1,40-45).

O terceiro passo leva-nos *a um olhar mais profundo sobre a pessoa e a mensagem de Jesus*. Não se confunde com mera curiosidade, interesse passageiro. Também não se trata de simples esforço humano de descobrir a intimidade de Jesus. É, antes, um *deixar-se conhecer por Ele*. É graça, dom do Espírito, que nos é dado gratuitamente. O Espírito do Senhor nos fará compreender a largura e o comprimento, a altura e a profundidade, isto é, conhecer a caridade de Cristo, que desafia todo o conhecimento, a fim de que possamos ficar repletos da plenitude de Deus (Ef 3,18-19). Quando alguns gregos, vindos a Jerusalém para adorar o Senhor, pediram a Felipe para ver Jesus (Jo 12,20-22), era mais que um mero impulso humano: neles já desabrochava o dom da fé.

Em sua primeira carta, João, o discípulo amado, expressa o que significou para ele ter convivido com Jesus: "O que era desde o princípio, o que ouvimos e o que vimos com nossos olhos, o que contemplamos e o que nossas mãos apalparam da Palavra da vida – vida esta que se manifestou, que nós vimos e testemunhamos, vida eterna que a vós anunciamos, que estava junto do Pai e que se tornou visível para nós –, nós vos anunciamos, para que estejais em comunhão conosco" (1Jo 1,1-3).

Ouvir, ver, contemplar, apalpar, anunciar é etapa do discipulado.
Ouvir, porque Ele tem muito a nos falar. Como Pedro, professamos a fé: "Senhor, a quem iremos? Tens palavras de vida eterna, e nós cremos e reconhecemos que és o santo de Deus" (Jo 6,68-69). Ver para além das conclusões da ciência humana aquele que deve ser contemplado com os olhos da fé. "Provai e vede como o Senhor é bom" (Sl 33,9). Cristo é Palavra de Salvação. Como Maria, na casa em Betânia, sentada aos pés do Senhor, precisamos acolher as palavras do Senhor, para que não caiam em vão (Lc 10,38-42).

O passo seguinte na descoberta do Senhor implica uma decisão: *seguir o Mestre.* Nada nos deverá reter. É preciso amá-lo mais do que tudo. "Quem ama pai e mãe mais do que a mim não é digno de mim! E quem ama filho e filha mais do que a mim não é digno de mim. E quem não toma sua cruz e não me segue não é digno de mim. Quem buscar sua vida a perderá, e quem perder sua vida por causa de mim a encontrará" (Mt 10,37-39). "Como discípulos e missionários, somos chamados a intensificar nossa resposta de fé e anunciar que Cristo redimiu todos os pecados e males da humanidade" (DA, 134).

Ainda um passo: **dar a vida** por Jesus e como Jesus. "Em verdade, em verdade vos digo: se o grão de trigo, que cai na terra, não morre, fica só. Mas, se morre, produz muito fruto. Quem se apega a sua vida, perde-a, mas quem não faz conta de sua vida neste mundo há de guardá-la para a vida eterna. Se alguém quer me servir, siga-me, e onde eu estiver estará também aquele que me serve. Se alguém me servir, meu Pai o honrará" (Jo 12,24-26).

"Jesus faz de seus discípulos seus familiares, porque compartilha com eles a mesma vida que procede do Pai, e lhes pede, como discípulos, uma união íntima com Ele, obediência à Palavra do Pai, para produzirem frutos de amor em abundância" (DA, 133).

26. Encontro com Deus

Salmo 138

Quem conhece os pensamentos do Senhor? Ou quem foi seu conselheiro? (Rm 11,34)

Senhor, vós me sondais e me conheceis,
Sabeis quando me sento e me levanto;
De longe penetrais meus pensamentos,
Sabeis quando me deito e quando ando,
Os meus caminhos vos são todos conhecidos.

A palavra nem chegou a minha boca,
E já, Senhor, a conheceis inteiramente.
Por detrás e pela frente me envolveis;
Pusestes sobre mim vossa mão.
Esta verdade é por demais maravilhosa,
É tão sublime que não posso compreendê-la.

Em que lugar me ocultarei de vosso espírito?
E para onde fugirei de vossa face?
Se eu subir até os céus, ali estais.
Se eu descer aos abismos, estais presente.

Se a aurora me emprestar suas asas,
Para eu voar e habitar no fim dos mares,
Mesmo lá vai me guiar vossa mão
E segurar-me com firmeza vossa destra.

Se eu pensasse: A escuridão venha esconder-me
E que a luz a meu redor se faça noite!
Mesmo as trevas para vós não são escuras,
A própria noite resplandece como o dia
E a escuridão é tão brilhante como a luz.

27

Levaram o meu Senhor!

"A oração e a vida cristãs são inseparáveis, pois se trata do mesmo amor e da mesma renúncia que procede do amor. Trata-se da mesma conformidade filial e amorosa ao plano de amor do Pai; da mesma união transformadora do Espírito Santo, a qual nos conforma sempre mais a Cristo Jesus: trata--se do mesmo amor por todos os homens, aquele amor com que Jesus nos amou." (Catecismo da Igreja Católica, n. 2745)

A experiência da *ausência de Deus* nos acompanha em muitos momentos durante nossa caminhada de fé em busca do Senhor. Sabemos que Ele é *o sentido de nossa vida,* no entanto, nosso coração se perde em meio às ilusões deste mundo. Quando as realidades deste mundo cegam o coração e tolhem a capacidade de contemplar, sentimos a carência do amor maior e não sabemos mais como nem por que viver.

Maria Madalena não se deixa afogar pela tristeza da ausência do Amor de sua vida; vai procurá-lo, ainda que precise remover a pedra do túmulo. Não consegue viver um dia sequer sem estar com seu Senhor. "No primeiro dia da semana, Maria Madalena foi ao túmulo de Jesus, bem de madrugada, quando estava ainda escuro" (Jo 20,1). É preciso iniciar o dia, buscando razões para viver. O sepulcro vazio a deixa perturbada: "levaram o meu Senhor e não sei onde o colocaram" (Jo 20,13). As demoras de Deus! "Durante a noite, em meu leito, busquei meu amado; procurei-o sem encontrá-lo. Vou levantar-me e percorrer a cidade, as ruas e as praças, em busca daquele que meu coração ama; procurei-o, sem encontrá-lo. Os guardas encontram-me, quando faziam sua ronda na cidade. Vistes acaso aquele que meu coração ama?" (Ct 3,1-3).

São Gregório Magno comenta essa busca persistente de Maria Madalena: "Ela começou a procurar e não encontrou nada, continuou a procurar e conseguiu encontrar. Os desejos foram aumentando com a espera e fizeram com que chegasse a encontrar. Pois os desejos santos crescem com a demora, mas se diminuem com o adiamento. Não são desejos autênticos. Quem experimentou este desejo ardente pôde alcançar a verdade"[1].

O encontro com Deus exige perseverança: "Entretanto, Maria se conservava do lado de fora, perto do sepulcro e chorava" (Jo 20,11). Nem sempre Deus se manifesta como desejamos encontrá-lo. "Voltou-se para trás e viu Jesus em pé, mas não o reconheceu. Perguntou-lhe Jesus: Mulher, por que choras? Quem procuras? Supondo ela que fosse o jardineiro, respondeu: Senhor, se tu o tiraste, dize-me onde o puseste e eu o irei buscar" (Jo 20,14-15). É preciso buscar com o coração. Assegura Carlos Carretto: "Cansado de raciocinar, procurei amar. Imaginei-me como uma criança, nos braços de sua mãe. E assim adormeci. Então a contemplação veio a meu encontro. E a contemplação é amorosa. É além da meditação, mesmo a mais elevada e profunda. Foi na contemplação que vi a experiência de Deus"[2].

"Disse-lhe Jesus: *Maria!* Voltando-se, ela exclamou em hebraico: *Rabôni* (que quer dizer Mestre). Disse-lhe Jesus: Não me retenhas, porque ainda não subi a meu Pai" (Jo 20,16-17). Ninguém pode abarcar nem envolver com os braços a misteriosa presença do Senhor. No entanto, podemos tocá-lo com o coração. A perfeição está na Trindade. Eu, você, o Amor. O Pai, o Filho e o Espírito. O abraço é o Espírito, que faz dos três uma só coisa e nos dá a alegria de sermos um só.

A experiência de Deus nos tira do isolamento, vence nosso orgulho, nossa autossuficiência. Não somos nós que envolvemos a Deus; é Ele quem nos abraça. No cântico do *Magnificat,* Maria anuncia que o Senhor manifesta o poder de seu braço, desconcerta os corações

---

[1] São Gregório Magno, papa, século VI, *Liturgia das Horas*, vol. III, p. 1436.
[2] *Procurei e encontrei*. São Paulo: Paulinas, 1985, p.91.

27. Levaram o meu Senhor!

cheios de soberba e eleva os humildes (Lc 1,51-52). Jesus proclama bem-aventurados os mansos, porque possuirão a terra (Mt 5,5). Citando o livro dos Provérbios, Tiago afirma que Deus resiste aos soberbos e dá suas graças aos humildes. Por isso, é necessário acolher o Reino de Deus com a simplicidade de uma criança (Mt 18,3).

A busca de Deus somente termina quando estivermos com Ele e nele, na eternidade de seu convívio de amor. Na caminhada deste mundo, é preciso recomeçar sempre. Quando acreditamos tê-lo alcançado, apenas vislumbramos sua face. Não podemos nos apossar de Deus; somos por Ele possuídos. O lugar que o Senhor nos prepara é a comunhão plena com a Trindade Santa (Jo 14,2). Lá seremos felizes, porque Deus será nossa eterna felicidade. O Senhor não nos deixa órfãos (Jo 14,18). Seu amor, presente na comunidade de seus discípulos, abrasar-nos-á o coração, porque, onde dois ou mais estiverem reunidos em seu nome, Ele se fará presente (Mt 18,20). Não busquemos o Senhor fora de nós, longe de nós: Ele está dentro de cada coração que o procura com amor.

Sequência da Páscoa

Cantai, cristãos, afinal:
Salve, ó vítima pascal!
Cordeiro inocente, o Cristo
Abriu-nos do Pai o aprisco.

Por toda ovelha imolado,
Do mundo lava o pecado.
Duelam forte e mais forte:
É a vida que enfrenta a morte.

O rei da vida, cativo,
É morto, mas reina vivo!
Responde, pois, ó Maria,
No teu caminho o que havia?

Vi Cristo ressuscitado,
O túmulo abandonado.
Os anjos da cor do sol,
Dobrado no chão o lençol.

O Cristo, que leva aos céus,
Caminha à frente dos seus!
Ressuscitou de verdade,
Ó Rei, ó Cristo, piedade!

Amém. Aleluia!

28

Já é hora de despertar

"Vós sabeis em que tempo estamos, pois já é hora de despertar. Com efeito, agora a salvação está mais perto de nós do que quando abraçamos a fé." (Rm 13,11)

Com essa exortação de Paulo, a Igreja inicia o tempo do Advento em preparação ao Natal do Senhor. O tempo é de expectativa e de esperança, pois celebramos, no mistério da sagrada liturgia, a vinda do Senhor, que vem como luz para iluminar seu povo (Is 2,5). A noite do pecado já vai adiantada; aproxima-se a luz (Rm 13,12). O povo, que andava na escuridão, viu uma grande luz (Is 9,1). O Reino dos céus está próximo (Mt 3,2). Reino da verdade e da vida, reino da santidade e da graça, reino da justiça, do amor e da paz. Uma sociedade que se ilude com mentiras que não levam a lugar nenhum; uma sociedade que propõe níveis de vida melhores, mas continua desenvolvendo atitudes de morte, certamente não haverá de promover a justiça, o amor e a paz. Sabemos que a plenitude desses dons é prerrogativa da consumação no horizonte da realização do Reino de Deus na pessoa de Jesus Cristo; somos convidados, no entanto, a colaborar com a graça divina, a fim de que esses dons sejam, já aqui e agora, acolhidos e vivenciados por cada ser humano.

A vivência do Ano Litúrgico não se restringe à mera recordação de acontecimentos do passado; celebramos os mistérios da salvação na medida em que deixamos de ser simples espectadores para tomarmos realmente parte no mistério celebrado. O Ano Litúrgico não se restringe, portanto, a uma evocação do passado, mas traz presente hoje, aqui e agora, pela força do Espírito Santo, a salvação celebrada. O Ano Litúrgico tem um *valor sacramental*. "Portanto, é com razão que, ao celebrar *o sacramento do Natal do Cristo* e sua manifestação no mundo, pedimos que, *reconhecendo sua humanidade semelhante a nossa, sejamos interiormente transformados por Ele*[1]."

A fé se exprime no rito, e o rito reforça e fortifica a fé. Ao caminho e à maturidade da fé corresponde o caminho e a maturidade do rito. Os tempos e as festas, que voltam a cada ano, não são um monótono repetir-se das coisas nem é um passar de um tempo a outro: o ano litúrgico, com os mesmos conteúdos retomados a cada ano, em circunstâncias e etapas diferentes no caminho da fé, é uma representação sacramental do mistério de Cristo e de sua Igreja, que somos nós. A Igreja acolhe aquele que está sempre presente, mas que se revela sempre de novo, até a glorificação final. A esperança anunciada pelo Advento é um convite a aceitar a consolidação da obra salvadora de Deus.

O tempo litúrgico do Advento prega a necessidade da vigilância, da prática de boas obras, do jejum e da esmola, da honestidade, isto é, da conversão em vista da vinda do Filho de Deus. O tema da alegria está especialmente presente, de modo particular nos textos do III domingo do Advento. "Alegrai-vos sempre no Senhor. De novo eu vos digo: alegrai-vos! O Senhor está próximo" (Fl 4,4-5). Lembra Papa Francisco em sua Exortação Apostólica: "A alegria do Evangelho enche o coração e a vida inteira daqueles que se encontram com Jesus. Quantos que se deixam salvar por Ele são libertos do pecado, da tristeza, do vazio interior, do isolamento. Com Jesus Cristo, renasce sem cessar a alegria"[2].

---

[1] Cf. NORMAS UNIVERSAIS DO ANO LITÚRGICO, *Missal Romano*. São Paulo: Paulus, 2008, p. 98.
[2] *Evangelii Gaudium*, 1.

28. Já é hora de despertar

O tempo do Advento é um convite permanente a recomeçar. A vida cristã é uma descoberta do Senhor à luz da fé. Como André e João, é preciso buscar o Senhor, saber onde Ele mora. Somente quando nos sentirmos acolhidos por Jesus, saberemos acolhê-lo, amá-lo e segui-lo. A celebração do Advento é um caminho de fé e de esperança. Como discípulos, aprendemos a aguçar nossos ouvidos para ouvir no coração o anúncio dos anjos: "Eu vos anuncio uma grande alegria, que o será para todo o povo: Hoje, na cidade de Davi, nasceu para vós um Salvador, que é o Cristo Senhor" (Lc 2,10-11).

Oração

Sl 95

Hoje nasceu para nós o Salvador,
Que é Cristo, o Senhor!

Cantai ao Senhor Deus um canto novo,
Cantai ao Senhor Deus, ó terra inteira!
Cantai e bendizei seu santo nome!

Dia após dia anunciai a salvação,
Manifestai sua glória entre as nações,
E entre os povos do universo seus prodígios.

O céu se rejubile e exulte a terra,
Aplauda o mar e o que existe em suas águas;
Os campos com seus frutos rejubilem
E exultem as florestas e suas matas.

Na presença do Senhor, pois ele vem,
Porque vem para julgar a terra inteira.
Governará o mundo todo com justiça,
E os povos julgará com equidade.

29

MARIA, ESTRELA DA EVANGELIZAÇÃO

"Deus é Pai de todas as coisas criadas, e Maria, a Mãe das coisas recriadas. Deus é Pai da criação universal. E Maria, a Mãe da redenção universal. Pois Deus gerou aquele por quem tudo foi feito, e Maria deu à luz aquele por quem tudo foi salvo. Deus gerou aquele sem o qual nada absolutamente existe, e Maria deu à luz aquele sem o qual nada absolutamente é bom[1]." (Santo Anselmo)

Em sua Carta Apostólica, *Novo Millennio Ineunte, em preparação ao término do grande Jubileu do ano 2000,* São João Paulo II confiava toda a Igreja à intercessão de Maria: "Confio este empenho de toda a Igreja à celeste intercessão de Maria, Mãe do Redentor. Ela, a Mãe do belo amor, será para os cristãos o caminho do Grande Jubileu do terceiro milênio, a Estrela que lhes guia os passos com segurança ao encontro do Senhor. A humilde jovem de Nazaré, que,

---
[1] SANTO ANSELMO, bispo, LH. Vol I, p. 1.044.

dois mil anos atrás, ofereceu ao mundo inteiro o Verbo encarnado, oriente a humanidade do novo milênio para aquele que é luz verdadeira, que a todo o homem ilumina." (n. 59).

Papa Paulo VI, na Exortação Apostólica *Evangelii Nuntiandi*, em comemoração ao décimo aniversário do encerramento do Concílio Vaticano II, no dia 8 de dezembro de 1975, confiava, uma vez mais, à Virgem Maria toda a Igreja e conclamava: "Na manhã de Pentecostes, ela presidiu na prece ao iniciar-se da evangelização, sob a ação do Espírito Santo; que seja ela a **estrela da evangelização** sempre renovada, que a Igreja, obediente ao mandato do Senhor, deve promover e realizar, sobretudo nestes tempos difíceis, mas cheios de esperança" (EM, n. 82).

Analisando os textos dos evangelhos, é possível traçar um perfil da personalidade de Maria, a Mãe de Jesus Cristo e modelo perfeito de seu seguimento. Somos convidados a nos debruçar sobre a pessoa, o mistério e o exemplo de Maria, a fim de que os esforços por uma nova evangelização, pelos quais a Igreja se empenha sempre de novo, sejam portadores de alegria e de nova esperança, assim como ela o foi nas bodas em Caná da Galileia (Jo 2,1-11).

Maria está efetivamente presente nos momentos mais decisivos da vida de Jesus e da história da Igreja. Presença silenciosa, discreta, mas atuante, criativa, solidária e transformadora. *Na Encarnação, Deus pede o "sim" de Maria para dar início ao extraordinário mistério do Amor divino,* que nos oferece seu Filho e, por meio dele, todo bem e toda graça (Rm 8,32). Maria aceita sua missão e se coloca inteiramente à disposição do Pai numa atitude de profundo acolhimento (Lc 1,38). Começa o sacerdócio de Maria.

Ao visitar Isabel, a presença de Maria se torna essencialmente serviço (Lc 1,56). A "serva do Senhor" começa sua diaconia da caridade. Ao apresentar o menino Jesus no Templo, transforma sua presença em oferta. Maria nunca guarda nada para si; nada retém, tudo oferece. É apenas a "serva do Senhor". Para si reserva a espada de dor que traspassará seu coração, para que se revelem os sentimentos íntimos de muitos corações (Lc 2,35). Na fuga para o Egito, Maria é peregrina, migrante, confiando inteiramente na Providência (Mt 2,13-15). Sente, uma vez mais, o cumprimento da profecia de Simeão (Jo 2,35).

Maria continua sua entrega à vontade do Pai ao perder e reencontrar seu Filho no Templo (Lc 2,46-51). Jesus não lhe pertence; é enviado para cuidar das coisas do Pai (Lc 2,49). Assim nos ensina a não tomar Deus por propriedade nossa. O verdadeiro amor exclui qualquer apego. A presença de Maria é sempre sinal de gratuidade.

29. MARIA, ESTRELA DA EVANGELIZAÇÃO

Durante a vida pública de Jesus mantém uma atitude de silêncio; em momento algum chama atenção sobre si. Mais do que João Batista tem consciência de sua missão: é preciso que Cristo cresça, manifeste-se e anuncie a Boa-nova do Pai (Jo 3,30). Maria se mistura à multidão, no anonimato, e continua realizando a vontade do Pai, para ser digna seguidora de seu Filho (Mt 13,46-50).

Por ocasião da Paixão de Jesus, lá está sua Mãe, de pé (Jo 19,25-27), presença corredentora. Seu coração, agora inteiramente traspassado pela espada (Lc 2,35), acolhe o coração de seu Filho perfurado pela lança (Jo 19,34). Como o discípulo amado, ela viu e deu testemunho (Jo 19,35) para que, em qualquer parte do mundo, ninguém pudesse duvidar de que Deus nos ama até o fim, até não mais poder (Jo 13,1).

A presença vigilante de Maria continua na Igreja primitiva. Perseverando em oração com a comunidade nascente, ela a prepara para receber o Espírito, em Pentecostes (At 1,14). Nenhuma criatura poderia preparar com tanta competência, ontem como hoje, os discípulos de Jesus para acolherem o Espírito Consolador, que conduz à verdade plena (Jo 16,13). Maria continua presente nas vicissitudes da Igreja e em seus momentos mais decisivos. Na mulher vestida com o sol, tendo a lua sob os pés e sobre a cabeça uma coroa de doze estrelas, em luta contra o dragão (Ap 12,1-6), Maria é figura da Igreja vitoriosa contra as potências do mal (Mt 16,18). Presença de esperança e de certeza na vitória do Cordeiro (Ap 7,10).

No casamento de Caná, Maria era uma entre muitas pessoas convidadas; não tinha obrigação de se preocupar com os detalhes da festa. No entanto, como "serva do Senhor" está atenta e percebe o embaraço dos noivos, saindo em busca de solução (Jo 2,3). Supera a aparente apatia de Jesus e toma a iniciativa. Maria não se mantém indiferente perante as necessidades de seus filhos. Intercede por nós, indica-nos o caminho a seguir: "Fazei tudo o que Ele vos disser" (Jo 2,5). Por Maria chegamos a Jesus. Ensina-nos a obedecer. Somente Ele tudo pode. Nada resolve sozinha. Valoriza a todos. Afinal, ajudar os necessitados deve ser preocupação de todos.

Certamente foi imensa a alegria de Maria ao perceber a felicidade dos noivos. Quem ama se sente feliz! Alegria também, porque Jesus manifestou sua glória, despertando a fé dos discípulos (Jo 2,11). Como o salmista, pode dar glórias a Deus: "Todos esperam em ti, que a seu tempo lhes dês o alimento. Tu lhes dás, e eles o recolhem; abres a mão e se saciam de bens" (Sl 104,27-28). E, como sempre, Maria se retira. Sua missão termina onde começa a de Jesus.

Maria demonstra capacidade única de viver extraordinariamente bem as realidades ordinárias do dia a dia no íntimo de seu coração (Lc 2,51). Os afazeres cotidianos não impedem sua entrega total a Deus e aos irmãos. Em Maria, ação e contemplação formam síntese perfeita. É toda nossa, porque nos recebeu como filhos (Jo 19,26); é inteiramente de Deus, porque o Espírito a cobriu com sua sombra (Lc 1,35). Sua vida foi vivida intensamente no amor. Como Jesus, exultou no Espírito Santo (Lc 10,21). Como Ele, aceitou beber o cálice da paixão (Mt 26,39). Como Jesus, enfim, transbordou de alegria na tarde da Ressurreição (Jo 20,20). Maria traduz em gestos humanos o amor materno de Deus.

Oração

Ave, do mar estrela, bendita Mãe de Deus,
Fecunda e sempre Virgem, portal feliz do céu.

Ouvindo aquele Ave do anjo Gabriel,
Mudando de Eva o nome, trazei-nos paz do céu.

Ao cego iluminai, ao réu livrai também,
De todo o mal guardai-nos e dai-nos todo o bem.

Mostrai ser nossa Mãe, levando nossa voz
A quem, por vós nascido, dignou-se vir de vós.

Suave mais que todas, ó Virgem sem igual,
Fazei-nos mansos, puros, guardai-nos contra o mal.

Oh, dai-nos vida pura, guiai-nos para a luz,
E um dia, ao vosso lado, possamos ver Jesus.

Louvor a Deus, o Pai, a seu Filho sumo Bem,
Com seu Divino Espírito agora e sempre. Amém.

30

A VIVÊNCIA MATRIMONIAL

"Muitas mágoas na vida conjugal brotam da falta de fé no outro. Nós fixamos o outro em nossas concepções. Não estamos dispostos a abandonar nossas representações e contemplar o outro com os olhos da fé[1]." (Anselm Grün)

Hoje, mais do que em outros tempos, o matrimônio é contestado, tanto como instituição quanto como uma realidade sacramental. Não faltam os que, movidos pelos desafios da vida moderna, propõem diversas alternativas à instituição matrimonial. Os meios de comunicação pregam abertamente o *amor livre* como uma situação absolutamente normal, em nome do respeito à liberdade e ao direito da pessoa humana a decidir os rumos de sua vida. Outros são favoráveis a um *matrimônio de experiência,* sem maiores responsabilidades e sem compromisso moral. Há ainda os que manifestam simpatia por um

---
[1] ANSELM GRÜN. *O que nutre o amor.* Petrópolis: Vozes, 2012, p. 97.

matrimônio *provisório ou clandestino*, uma vez que as situações existenciais estão em permanente mudança. Muitos se contentam em viver um *matrimônio social, de aparências*, o quanto possível sem maiores escândalos. Há casais que aceitam pacificamente um *matrimônio em comum, vivido a três, ou ainda às comunas*. Enfim, a sociedade moderna vivencia amplamente o *matrimônio sucessivo ou o divórcio*.

São múltiplas as razões apresentadas para justificar as várias opções matrimoniais. Primeiramente, constata-se uma generalizada *crise de valores humanos e cristãos*. A provisoriedade, tão evidente na sociedade de consumo, em que a sobrevivência do mercado exige contínua superação de produtos que se tornam obsoletos, à medida que avançam as novas tecnologias, afeta a sobrevivência de *valores absolutos*. Uma sociedade que prega a provisoriedade tem dificuldade em aceitar os preceitos morais sobre o matrimônio, assim como são defendidos pela fé cristã. Existe um descompasso entre a teologia e o direito, entre a teoria e a prática, entre os dados das ciências humanas e as exigências da moral cristã, entre o que a celebração exprime e o que a situação vital supõe.

A complexidade das relações interpessoais se fundamenta na própria realidade pluridimensional do matrimônio. Do ponto de vista social diz respeito à sociedade civil; do ponto de vista cristão é, ao mesmo tempo, uma realidade terrena e um mistério da salvação, pertencendo, simultaneamente, à ordem da criação e à da aliança. São, portanto, diferentes as consequências. "O casamento e o casal não podem entender-se fora do contexto do povo escolhido por Deus, para desenvolver projetos históricos que ultrapassam tanto os limites das pessoas quanto os dos casais e das famílias. São projetos verdadeiramente históricos, ou seja, que apontam para uma nova sociedade, dentro da qual pessoas e famílias poderão encontrar um clima favorável para sua realização[2]."

De outra parte, o matrimônio implica uma riqueza antropológica por ser um acontecimento humano interpessoal. Não se restringe a uma relação periférica ou acidental, simplesmente espiritual ou afetiva, mas que envolve a pessoa inteira: o espírito e o corpo, o amor e a sexualidade, a liberdade e a personalidade. "Não se pode deixar de ressaltar que, em suas múltiplas dimensões, a sexualidade se constitui não apenas uma das mais poderosas energias humanas, como também uma das manifestações mais claras da vocação fundamental e irrenunciável dos seres humanos para o amor. Vocação para o amor

---

[2] ANTÔNIO MOSER. *Casado ou solteiro*. Petrópolis: Vozes, 2006, p. 162.

30. A VIVÊNCIA MATRIMONIAL

interpessoal, vocação para o amor no nível comunitário e social e vocação para o amor de Deus[3]."

O ser humano não é um ser solitário, mas essencial e construtivamente referenciado a outro, *feito um com o outro, com os demais*. O ser humano não constitui um *eu solitário, mas um eu para um tu*. *A identidade pessoal só se consegue em relação com o outro*. Como *ser corpóreo,* é chamado a relacionar-se com os demais precisamente por meio de seu corpo. O verdadeiro diálogo abarca a pessoa inteira, a pessoa supõe a diferenciação sexual, e esta implica a ordenação a um *tu*. O encontro entre o homem e a mulher ocorre no respeito às condições de igualdade e singularidade, encontro que consolida o amor mútuo e, ao mesmo tempo, está aberto à criatividade e à procriação. A relação matrimonial transcende a realidade corpórea e se refere a uma realidade ulterior. Deus criou o ser humano, não isolado, mas em um contexto de solidariedade com o *outro*.

Por tudo isso, justifica-se a afirmação de que o matrimônio *não é um sacramento como os outros,* mas que o é a seu modo, analogamente. O corpo é simultaneamente um símbolo realizador e limitante; implica diferenciação sexual e comunicação pessoal em um outro nível, que abarca o ser humano como um todo. Pressupõe mútua e incondicional aceitação, união permanente e fidelidade na esperança. Esse relacionamento harmonioso e complexo exige um processo de *educação para o amor, maturidade e intensa vivência espiritual*.

A maturidade espiritual evolui e cresce continuamente com a idade e com as necessidades das pessoas. É preciso estar atento aos *sinais dos tempos* para podermos interpretar corretamente a vontade de Deus, a verdade sobre nós mesmos e o encontro com aqueles que estão mais próximos e com quem nos encontramos no dia a dia. Não há vida conjugal que persista sem o perdão. Perdoar não é uma fraqueza, não é uma humilhação, não implica diminuição da própria dignidade pessoal, muito menos é um ato de rendição. O verdadeiro perdão enobrece, ressalta a grandeza de caráter, consolida o amor. O amor se expressa eminentemente no perdão. *"O amor tudo desculpa, tudo crê, tudo espera, tudo suporta"* (1Cor 13,7).

O matrimônio é um *novo estado de vida,* em que cada pessoa o entrega à outra e recebe da outra até o fim de suas vidas. Cada um é transformado pela personalidade do outro. O amor se constrói dia a dia, por meio de atos e de atitudes, as mais variadas. A maturidade da espiritualidade matrimonial requer, pois, iniciação. É um processo, um caminho a ser

---

[3] *Ibidem*, p. 19.

pacientemente percorrido. Somente uma sólida e adulta espiritualidade pode alicerçar o amor conjugal e torná-lo atraente à sociedade moderna.

Os casais, como todos os cristãos, são chamados à santidade, ao seguimento do Senhor. Esse discipulado não acontece apenas individualmente, mas como casal, em sua vivência matrimonial. Dessa forma, manifesta-se na vida do marido e da mulher e de toda a família a vontade de Deus. A escuta da palavra de Deus, a meditação diária, a oração conjugal e familiar, a disposição de acolher o outro, por meio do diálogo franco e sereno, e a participação nos sacramentos, particularmente na eucaristia, são atitudes absolutamente necessárias para alimentar a maturidade espiritual do casal.

Oração

Nós somos dois,
Mas tu estás aí, Senhor,
Sobre os caminhos de nossa vida.
Nós somos diferentes,
Mas, cada um em seu ritmo,
Avançamos para ti,
Aprofundando, com o correr dos dias,
O dom total de um ao outro,
Abrindo-nos a seu Amor.
Ele espera de mim uma palavra, um gesto
Que lhe permita ser reconfortado e acompanhado.
Espero dele um ouvido atento a minhas preocupações,
A meu cansaço.
Encerrados nas prisões de nossos egoísmos,
Temos dificuldade em te alcançarmos,
Mas sempre a pequena chama de tua presença
Liberta em nós o amor.
Alimentados pela tua Palavra,
Banhados pelo teu Espírito,
Caminhamos para ti.
Bendito sejas tu!
Deus conosco.

(Emmanuel Dominique, Revista – Alliance, n. 100)

31

ACOLHER A DEUS

"Maria, então, disse: Eis aqui a serva do Senhor; faça-se em mim segundo a tua palavra. E o anjo afastou-se." (Lc 1,38)

A sociedade humana é marcada por profunda intransigência. As pessoas agridem-se de tal forma que parece impossível conviver. Conflitos de classes sociais, de culturas e até mesmo de credos. Não há o mínimo respeito para que se possa afirmar que vivemos em uma sociedade civilizada. O que está faltando que justifique tanta intransigência? Por que tantos sobrevivem no limite da pobreza extrema, enquanto um terço da humanidade se entrega ao consumo desenfreado?

Está faltando capacidade de acolher o diferente. Em sua viagem ao Sri Lanka, Papa Francisco lembrou, por ocasião do Encontro Inter-religioso: "Estas louváveis iniciativas proporcionaram oportunidades de diálogo, que é essencial se nos quisermos conhecer, compreender e respeitar uns aos outros. Mas, como ensina a experiência, para que tal diálogo e encontro sejam eficazes, deve fundar-se em uma apresentação completa e franca de nossas respectivas convicções. É certo que esse diálogo fará ressaltar como são diferentes nossas crenças, tradições e práticas; mas, se formos honestos ao apresentar nossas convicções, seremos capazes de ver mais claramente aquilo que temos em comum e abrir-se-ão novos caminhos para a mútua estima e cooperação e, seguramente, para a amizade".

A experiência do diálogo e do acolhimento é possível. Por ocasião da Anunciação, Maria deu exemplo perfeito de acolhida a Deus. Abriu o coração ao anúncio do anjo, permitindo que o Espírito Santo gerasse em seu seio o Verbo da Vida. Não colocou nenhum obstáculo à ação divina. Entregou-se inteiramente aos desígnios da Divina Providência. O diálogo com o anjo demonstrou reverência perante o mistério e maturidade na aceitação da vontade de Deus. O *sim* de Maria não foi uma resposta casual, impensada, precipitada; pelo contrário: aceitou com presteza e com responsabilidade o apelo do Senhor. "Faça-se em mim segundo a tua palavra" (Lc 1,38), respondeu ao anjo, acolhendo o Senhor. Mediante o *sim* de Maria, "o Verbo divino se fez carne e habitou entre nós, e nós vimos sua glória, a glória que o Filho único recebe de seu Pai, cheio de graça e de verdade" (Jo 1,14).

O *sim* de Maria a impele a servir Isabel. Toda verdadeira acolhida de Deus nos leva imediatamente aos irmãos. "Naqueles dias, Maria se levantou e foi às pressas às montanhas, a uma cidade de Judá. Entrou na casa de Zacarias e saudou Isabel" (Lc 1,39). Quem acolhe Deus tem pressa de levá-lo aos outros. Uma rapidez que não é precipitação, mas urgência, porque o amor de Cristo nos impele (2Cor 5,14). Perfeita servidora do Senhor, Maria recebe a missão de gerar, no Espírito, o Filho de Deus e de fecundar pelo amor a humanidade redimida. Amar o irmão é dar a vida por ele como Jesus a entregou por todos nós (1Jo 3,16).

Colocar-se a serviço constitui excelente forma de acolhimento. Como o Mestre que "não veio para ser servido, mas para servir" (Mc 10,45), o verdadeiro discípulo é aquele que segue seus passos, servindo a todos. Onde se cultiva o amor não há rancor. Ninguém resiste ao amor, *porque o amor vem de Deus, e Deus é amor* (1Jo 4,8). Maria acolheu Jesus em seu coração, em seus braços, em sua vida. O amor ao próximo não é apenas uma atitude humana louvável e digna; amar é o novo mandamento do Senhor. "Nisso todos conhecerão que sois meus discípulos, se vos amardes uns aos outros" (Jo 13,35). O amor vence todos os ódios, acalma todas as angústias, cura todas as feridas. O amor é o perfume que sai das mãos de Deus e envolve toda a humanidade. Receber o irmão é acolher a Deus (Mt 18,4-5).

31. Acolher a Deus

Magnificat

A minha alma engrandece o Senhor
E se alegrou meu espírito em Deus, meu Salvador,
Pois Ele viu a pequenez de sua serva,
Desde agora as gerações hão de chamar-me de bendita.
O Poderoso fez em mim maravilhas
E santo é seu nome!
Seu amor, de geração em geração,
Chega a todos os que o respeitam.
Demonstrou o poder de seu braço.
Dispersou os orgulhosos.
Derrubou os poderosos de seus tronos
E os humildes exaltou.
De bens saciou os famintos
E despediu sem nada os ricos.
Acolheu Israel, seu servidor,
Fiel a seu amor.
Como havia prometido a nossos pais,
Em favor de Abraão e de seus filhos para sempre.
(Cf. Lc 1,46-55)

ÍNDICE

Apresentação | 3
1. Tocar em Jesus | 5
2. Natal: A festa da luz | 9
3. Quem é Jesus | 13
4. Minha mãe e meus irmãos | 17
5. O primeiro amor | 21
6. Água viva | 25
7. O túmulo vazio | 29
8. Marta e Maria | 33
9. O mistério da cruz | 39
10. Um Deus compassivo | 43
11. O pão partido | 47
12. Os vendilhões do templo | 51
13. A comunhão dos santos | 55
14. A fração do pão | 59
15. A noite das entregas | 63
16. A oração como encontro | 67
17. A porta da fé | 71
18. A porta estreita | 77
19. A porta que salva | 81

20. A transfiguração | 85
21. Antes que tu nascesses | 89
22. As águas mais profundas | 93
23. Confiança em Deus | 97
24. Deus cuida de você | 101
25. Eles estão em paz! | 105
26. Encontro com Deus | 109
27. Levaram o meu Senhor! | 115
28. Já é hora de despertar | 119
29. Maria, estrela da evangelização | 123
30. A vivência matrimonial | 127
31. Acolher a Deus | 131